CW00794785
JUNGFRAUBAHN

Dank
Der AS Verlag dankt allen an diesem Werk Beteiligten für ihr großes Engagement: Der Jungfraubahn AG für die finanzielle Unterstützung und die Zusammenarbeit, insbesondere Urs Kessler, Simon Bickel und Hans Zurbuchen.
Den Autoren Peter Krebs, Werner Catrina, Beat Moser und Rainer Rettner für die einfühlsamen und informativen Texte.
Den Fotografen Marcus Gyger, Christof Sonderegger und Urs Jossi für ihren unermesslichen Einsatz.
Für die sorgfältige Übersetzung danken wir Hans und Jennifer Abplanalp.

Thanks
AS Verlag wishes to thank all to those involved in this work for their huge commitment:
The Jungfraubahn AG for its financial support and cooperation, especially Urs Kessler, Simon Bickel and Hans Zurbuchen.
The authors Peter Krebs Werner Catrina, Beat Moser and Rainer Rettner for their insightful and informative texts.
The photographers Marcus Gyger, Christof Sonderegger and Urs Jossi for their immeasurable efforts.
Hans & Jennifer Abplanalp for their diligent translation.

Bildnachweis · Photo acknowledgements
Archiv Jungfraubahnen, Interlaken: Umschlag unten/Cover bottom, 6, 38/39, 46–75, 88/89, 158–161, 176/177 oben/top, 176 unten/bottom, 208, 212, 218, 220
AS Verlag, Zürich: Eiger – Die vertikale Arena, 210 rechts/right, 211
Marcus Gyger, Wohlen: 14/15, 16 links/left, 22/23, 30/31, 41, 43, 84/85 unten/bottom, 97, 100/101, 103, 106/107, 118/119, 121, 130–137, 139, 140–143, 144 oben/top, 153, 155, 165, 167, 169, 171, 173, 175, 177 unten/bottom, 178, 182, 184/185, 186 oben/top, 187, 190–193, 201–203, 209, 210 links/left, 216, 221
Christof Sonderegger, Rheineck: Umschlag oben/Cover top, 2/3, 8/9, 13, 14, 17–21, 24–27, 28 links/left, 32–35, 45 oben/top, 76–78, 82/83, 84/85 oben/top, 86/87, 89 rechts unten/lower right, 90–96, 98/99, 100 unten/bottom, 108/109, 111, 116/117, 122, 126–129, 144 unten/bottom, 145–151, 157, 179–181, 183, 186 unten/bottom, 188/189, 194–200, 204/205, 214/215, 217, 219, 222/223
Robert Bösch, Unterägeri: 213
Urs Jossi, Grindelwald: 29, 37 unten/bottom, 44, 45 unten/bottom, 81, 110, 112–115, 207
Archiv Beat Moser, Brig-Glis: 37 oben/top, 40

www.as-verlag.ch

© AS Verlag & Buchkonzept AG, Zürich 2011
Konzept / Gestaltung: Heinz von Arx, Urs Bolz, Zürich, www.vonarxgrafik.ch
Übersetzung: English Texts & Translations Hans & Jennifer Abplanalp
Lektorat: Monika Schib Stirnimann, Basel
Korrektorat: Adrian von Moos, Zürich
Farblithos: Litho Atelier Thalmann GmbH, Wollerau
Druck: B & K Offsetdruck GmbH, Ottersweier
Einband: Grossbuchbinderei Josef Spinner GmbH, Ottersweier
ISBN 978-3-909111-90-9

JUNGFRAUJOCH TOP OF EUROPE

Erlebnis Jungfraubahn
Jungfrau Railway Experience

Texte · Texts

Werner Catrina
Peter Krebs
Beat Moser
Rainer Rettner

Fotos · Photos

Marcus Gyger
Christof Sonderegger

AS Verlag

Eiger
3970 m 13026 ft
Mönch
4107 m 13475 ft
Jungfrau
4158 m 13642 ft
Jungfraujoch
Top of Europe
3454 m 11333 ft
Schreckhorn
4078 m 13380 ft
Wetterhorn
3701 m 12143 ft
Eismeer
Breithorn
3782 m 12409 ft
Tschingelhorn
3557 m 11736 ft
Schwarzhorn
2928 m 9607 ft
Eigerwand
Eigergletscher
2320 m 7612 ft
Kleine Scheidegg
2061 m 6762 ft
Grosse Scheidegg
First
2168 m 7113 ft
Schreckfeld
Bort
Bachalpsee
Faulhorn
Alpiglen
Brandegg
Grindelwald
Grund
943 m 3094 ft
Holenstein
Schwendi
Bussalp
Männlichen
2230 m 7317 ft
Wengernalp
1873 m 6145 ft
Allmend
Wengen
1274 m 4180 ft
Wengwald
Lauterbrunnen
Stechelberg
Gimmelwald
Mürren
1634 m 5361 ft
Allmendhubel
1912 m 6273 ft
Grütschalp
1487 m 4879 ft
Winteregg
Birg
Morgenberghorn
Burglauenen
Lütschental
Sulwald
Saxeten
Gündlischwand
Gsteigwiler
Wilderswil
Giessbach
Iseltwald
Bönigen
BRIENZERSEE
Brienz
Oberried
Niederried
Ringgenberg
Goldswil
Matten
Interlaken Ost
567 m 1860 ft
Interlaken
Interlaken West
Unterseen
Habkern
Weissenau
Neuhaus
Golfplatz 18 H
Sundlauenen
Beatushöhlen
Beatenberg
Vorsass
Niederhorn
Beatenbucht
Därligen
Leissigen
Faulensee
THUNERSEE

Inhalt

Contents

Rund um die Jungfrau

Around the Jungfrau

Text: Peter Krebs

Im Reich der ehrfurchtsgebietenden Berge
In the realm of majestic mountains

Vorangehende Doppelseite: Die letzten Strahlen der Abendsonne beleuchten das bekannteste Dreigestirn der Alpen, Eiger, Mönch und Jungfrau (von links).

Previous double page: The last rays of the evening sun illuminate the most famous trio of summits in the Alps, the Eiger, Mönch & Jungfrau (from left).

Der amerikanische Schriftsteller Mark Twain unternahm im Jahr 1878 eine Europareise, über die er später unter dem Titel «A Tramp Abroad» (Deutsch: «Bummel durch Europa») einen langen Bericht schrieb. Der Autor des Jugendbuchs «Die Abenteuer des Tom Sawyer» kam dabei auch nach Interlaken und quartierte sich im besten Haus ein, dem Hotel Jungfrau, «einem jener ungeheuren Etablissements, welche die Bedürfnisse des modernen Reiseverkehrs an jedem anziehenden Punkt des Kontinents hervorgebracht haben. Beim Abendessen gab es eine große Versammlung, und wie gewöhnlich hörte man alle Sprachen.»

Interlaken, das Dorf auf der Schwemmebene zwischen dem Brienzer- und dem Thunersee, war schon damals ein pulsierender Touristenort, in dem sich «allsommerlich ein summender Bienenkorb von rastlosen Fremden» einfand, wie Twain es formulierte. Mit der Promenade, dem Kursaal und den stilvollen Hotels hatte Interlaken selbst einiges zu bieten. Doch war es stets mehr Ausgangspunkt als eigentliches Ziel des «Fremdenverkehrs». Die Hauptattraktionen, auf die sich die Touristen freuten, lagen weiter oben. Es waren die Berge, die Seen, die Gletscher, die Staubbachfälle im Lauterbrunnental und der Giessbachfall über dem Brienzersee. Auch die einheimische Bevölkerung war Teil dieser exotischen und romantischen Welt, vor allem, wenn sie sich in der Bauern- und Älplertracht präsentierte. Der Berner Universalgelehrte Albrecht von Haller hatte anderthalb Jahrhunderte früher mit seinem Gedicht «Die Alpen» die Begeisterung für die zuvor verkannten Reize der Berge geweckt.

Mit zum Aufschwung beigetragen haben die neuen Verkehrsverbindungen. Twain war noch in der Pferdekutsche von Luzern über den Brünig angereist. Zehn Jahre später dampfte schon die erste Zahnradbahn über diesen Pass. Die Brünigbahn ist heute Teil der bekannten Goldenpass-Strecke von Luzern über Interlaken nach Montreux. Interlaken hat sich innert kurzer Zeit zu einem Bahnzentrum entwickelt – und ist es bis heute geblieben. Einerseits, weil es via Bern ans internationale Netz angeschlossen ist, andererseits aber auch, weil von

In 1878, American author Mark Twain undertook a European tour, about which he later wrote a long essay entitled «A Tramp Abroad». On his travels, the author of the children's book «The Adventures of Tom Sawyer» also visited Interlaken and stayed at its best hotel, the Hotel Jungfrau, «one of those huge establishments which the needs of modern travel have created in every attractive spot on the continent. There was a great gathering at dinner, and, as usual, one heard all sorts of languages.»

At that time, Interlaken, the village on the flood plain between Lake Thun and Lake Brienz was already a bustling tourist resort, one where as Twain worded it «a buzzing hive of restless strangers gathered every summer.» With its promenade and stylish hotels, Interlaken itself had much to offer. However, it was always more of a departure point than an actual tourism destination. The main attractions that tourists were keen to see were higher up. These were the mountains, lakes, glaciers, the Staubbach Fall in the Lauterbrunnen Valley and the Giessbach Falls above Lake Brienz. Local people were also a part of this exotic and romantic world, particularly when they appeared in traditional farmers' and Alpine garb. Some 150 years earlier, Bernese universal scholar Albrecht von Haller had awakened enthusiasm for the hitherto unrecognized appeal of the mountains with his poem «The Alps».

New traffic connections also contributed to the tourism boom. Twain had travelled from Lucerne over the Brünig Pass in a horse-drawn carriage but only ten years later, trains were steaming over this pass on the first cogwheel railway. The Brünig Railway is now part of the famous Golden Pass route from Lucerne via Interlaken to Montreux. Within a very short time, Interlaken developed into a railway hub – and has remained so to this day. This is, on the one hand, because the town is linked to the international railway network via Berne and, on the other, because it is the starting point for many mountain railways. In addition to the railways running through the two Lütschinen valleys in the Jungfrau Region, there are also shorter rail sections which in

hier aus zahlreiche Bergbahnen starten. Nebst jenen durch die Lütschinentäler ins Jungfraugebiet gibt es kürzere Schienenstrecken, die im Sommer Aussichts- und Wanderberge erschließen, zum Beispiel den Interlakner Hausberg Harder, dessen Fels bei genauem Hinsehen einem Gesicht gleicht. Laut der Sage handelt es sich bei diesem «Hardermannli» um einen versteinerten Mönch des einst mächtigen Klosters Interlaken. Der Geistliche stellte im Wald einem Mädchen nach und trieb es über eine Fluh in den Tod. Zur Strafe muss er bis zum Jüngsten Tag auf den Ort seiner Untat starren.

Vom nahen Wilderswil aus startet seit 1893 die Schynige Platte-Bahn zu ihrer kurvenreichen Bergfahrt. Mit den nostalgischen Wagen ist sie eine der schönsten Zahnradbahnen der Schweiz. Prächtig ist auch das Ziel. Auf der Schynigen Platte blühen neben dem Berghotel die Blumen des Alpengartens. Den Besuchern bietet sich bei schönem Wetter eine einmalige Aussicht auf das berühmte Dreigestirn der Berner Hochalpen: auf Eiger, Mönch und Jungfrau. Sie sind zum Sinnbild der Region geworden. Für die Touristen sowieso. Das Gipfeltrio erfüllt aber auch die Einheimischen mit Stolz. Etwa dann, wenn sie es von der Hauptstadt Bern aus im rötlichen Abendlicht leuchten sehen, wobei das Spiel von ewigem Schnee und Fels, von Licht und Schatten auf der Jungfrau ein Schweizerkreuz andeutet. Die Jungfrau sei ein «schweigender, ernster und ehrfurchtsgebietender Berg», notierte Twain 1878 ergriffen. Sie ist es geblieben.

Heute gehören Eiger, Mönch und Jungfrau zur UNESCO-Welterbestätte Jungfrau-Aletsch. Es ist das größte zusammenhängende vergletscherte Gebiet Europas, wobei mit dem Aletschgletscher der längste Alpengletscher dazu gehört. Die Region «ist das Herz der Alpen und besitzt auf über 850 km² Landschaften herausragender Schönheit», schreibt die UNESCO. Außerdem sei sie ein «hervorragendes Beispiel für die Entstehung der Gebirge und Gletscher sowie für den aktuellen Klimawandel».

Dank der Jungfraubahn können die Gäste seit hundert Jahren komfortabel mitten in diese Landschaft reisen. Für viele bleibt es bei einem kurzen

summer provide access to vantage and hiking mountains. One example is the Harder, Interlaken's home mountain, where, if you look closely, you can make out a face in the rock. Legend has it that this «Hardermannli» is the petrified face of a monk from the once powerful Interlaken monastery. The monk started to chase a young girl along a forest path high up on the Harder. She was so terrified that she leapt over the cliff to her death. As a punishment, the monk was turned to stone, condemned to gaze down on the place of his misdeed until Judgement Day.

The Schynige Platte Railway has been winding its way up the mountain from nearby Wilderswil since 1893. Its nostalgic carriages make it one of Switzerland's most attractive cogwheel railways and the destination is also magnificent. On Schynige Platte, flowers blossom in the Botanical Alpine Garden close to the mountain hotel. In fine weather, visitors are treated to a sensational view of that famous trio of summits in the Bernese high-Alps: the Eiger, Mönch & Jungfrau. The peaks have become the symbol of the region, certainly for tourists, but the three peaks also fill local people with pride. Such as when from the capital of Berne, the three can be seen glowing red in the evening light, whereby the interplay of eternal snow and ice, of light and shadow on the Jungfrau suggests the Swiss cross. The Jungfrau is a «silent, solemn and awesome mountain,» noted a much-impressed Twain in 1878. And so it has remained.

Today, the Eiger, Mönch & Jungfrau belong to the UNESCO World Heritage of the Jungfrau-Aletsch. This is the largest interconnected glacial region in Europe and includes the Aletsch Glacier, the longest ice-stream in the Alps. The region «is the heart of the Alps and possesses outstanding beauty in an area of over 850 km²,» to quote UNESCO. In addition, it also «contains a wealth of information on the formation of mountains and glaciers as well as on the on-going climate change.»

Thanks to the Jungfrau Railway, guests have now been able to travel into this landscape in comfort for one hundred years. For many, this remains a

Besuch; andere bringt die Bahn an den Start zu Hochgebirgstouren, auf denen sie die Landschaft intensiver kennen- und schätzen lernen. Zu sagen bleibt, dass es auch abseits der touristischen Highlights Schönes zu entdecken gibt, wenn man sich Zeit nimmt und sich auf eine der vielen Wandertouren begibt, die die Region offeriert. Nicht entgehen lassen sollte man sich den Anblick der Wasserfälle, die sich über die vom Gletscher gehobelten senkrechten Wände des Lauterbrunnentals stürzen. Der Staubbachfall, dessen Wassermassen sich in der Luft und im Aufwind zu zerstäuben scheinen, gehört zu den klassischen Berühmtheiten des Berner Oberlandes. Von der Anmut des mit fast 300 Metern Gefälle zweithöchsten Wasserfalls der Schweiz war auch Johann Wolfgang Goethe beeindruckt, als er das Tal 1779 besuchte. Er inspirierte ihn zum Gedicht «Gesang der Geister über den Wassern», das den Staubbachfall international bekannt machte: «Seele des Menschen,/ Wie gleichst du dem Wasser!/Schicksal des Menschen,/Wie gleichst du dem Wind!» Heutige Touristen können sich mit Bergbahnen in die beiden autofreien Kurorte Mürren und Wengen hochtragen lassen, die sich über dem Lauterbrunnental auf zwei gegenüberliegenden Terrassen sonnen.

Das auf der anderen Seite der Kleinen Scheidegg gelegene Grindelwald ist seit langen Jahrzehnten schon Ausgangspunkt für alpinistische Expeditionen. Man hat von diesem «Gletscherdorf» aus einen direkten Blick auf die Eigernordwand, einst und auch heute noch die Kulisse für unzählige bergsteigerische Heldentaten und Dramen. Wer es gemütlicher mag, kann auf dem Eiger-Trail die Nordwand, diese «vertikale Arena», ohne Seil und Pickel aus der Nähe betrachten oder über First zum Bachalpsee steigen. Dieser liegt wie eine Perle inmitten einer Moorlandschaft. Auf seiner Oberfläche spiegelt sich ein weiteres wunderbares Panorama von Gipfelhäuptern: darunter das Wetterhorn, das Schreckhorn und das 4274 Meter hohe Finsteraarhorn, der höchste Berg der Berner Alpen.

brief visit; the railway takes others to the start of high-mountain tours on which they can get to know and appreciate the landscape in a more intensive fashion. It remains to say that there are also plenty of delights to discover away from the touristic highlights if time is taken for one of the many hiking tours that the region offers. The opportunity should not be missed to view the waterfalls cascading over the vertical rock walls of the glaciated Lauterbrunnen Valley. The Staubbach Fall, its waters seeming to turn to spray in the wind and updraft, is one of the most famous classic attractions in the Bernese Oberland. Johann Wolfgang Goethe was also impressed by the beauty of the almost 300-metre-high waterfall, the second highest in Switzerland, when he visited the valley in 1779. It inspired him to compose his poem «The Song of the Spirits Over the Waters», which gained the Staubbach Fall international fame: «Soul of man/How like to the water! / Fate of man / How like to the wind!» Today tourists can travel up by mountain railway and aerial cableway to the two car-free resorts of Mürren and Wengen, which nestle on sunny terraces on opposite sides of the Lauterbrunnen Valley.

On the other side of Kleine Scheidegg, Grindelwald has for many decades been the starting point for Alpine expeditions. From this «glacier village», you have a direct view of the Eiger North Wall, once and still today the scene of innumerable heroic deeds and dramas involving mountaineering. Those who prefer to take things easier can get a close up view of the North Wall, this «vertical arena», on the Eiger Trail, naturally without a rope and ice axe, or hike to Lake Bachalpsee via First. This tiny mountain lake nestles like a pearl in the middle of a moorland landscape. The lake surface reflects another wonderful panorama of peaks including the Wetterhorn, Schreckhorn and the 4274-metre Finsteraarhorn, the highest mountain in the Bernese Alps.

An klaren Tagen erscheint die Jungfrau auch von der Schweizer Hauptstadt Bern aus als mächtiger Schneegipfel. Im Vordergrund die Spitze des Berner Münsters.

Folgende Doppelseite: Auf diesem Luftbild erkennt man die Lage von Interlaken und Unterseen auf der Ebene zwischen dem Brienzersee (links) und dem Thunersee. Interlaken bildet den Ausgangspunkt zur Jungfrauregion.

On a clear day, the Jungfrau can be seen from the Swiss capital of Berne as a mighty snow-clad summit. In the foreground, the spire of Berne's Cathedral.

Following double page: The position of Interlaken and Unterseen is shown on this aerial photograph of the plain between Lake Brienz (left) and Lake Thun. Interlaken is the departure point for the Jungfrau Region.

Jeweils im September wird der Startschuss zum Jungfraumarathon gegeben. Die Teilnehmer überwinden bis zum Ziel auf der Kleinen Scheidegg 1830 Höhenmeter (links). In den belebten Strassen von Interlaken treffen sich seit dem 19. Jahrhundert die Touristen aus aller Welt (rechts).

Every September, the starting gun sounds for the Jungfrau Marathon. Competitors master 1830 height metres to reach the finish at Kleine Scheidegg (left).Tourists from all over the world have met in Interlaken's bustling streets since the 19th century (right).

Interlaken gilt auch als Mekka für die Gleitschirmflieger. Wegen der günstigen Winde können sie ihrem Hobby an rund 300 Tagen pro Jahr frönen (links). Auf den sagenumwobenen Harder, den Hausberg von Interlaken, führt eine steile Standseilbahn. Der Aussichtsberg ist Ausgangspunkt für schöne Wanderungen (rechts).

Folgende Doppelseite: Eine der schönsten Bergbahnen der Schweiz führt von Wilderswil bei Interlaken auf die Schynige Platte. Die kurvenreiche Strecke bietet immer neue Ausblicke auf die Bergwelt.

Interlaken is also a paradise for paragliders. Ideal wind conditions allow them to practice their passion on 300 days a year (left). A steep funicular railway climbs up the Harder, Interlaken's legend-shrouded home mountain. The scenic mountain is the starting point for wonderful hikes (right).

Following double page: One of Switzerland's most beautiful mountain railways leads from Wilderswil near Interlaken up to Schynige Platte. The winding track affords constantly changing views of the mountain world.

Die zehn Trümmelbachfälle stürzen kaskadenförmig im Bergesinnern ins Lauterbrunnental hinunter. Sie sind durch Treppen und einen Lift für die Besucherinnen und Besucher erschlossen. Sie entwässern die Gletscherwände von Eiger, Mönch und Jungfrau (links). Der stiebende Staubbachfall inspirierte Goethe zu seinem bekannten Gedicht «Gesang der Geister über den Wassern» (rechts).

Vorangehende Doppelseite: Blick auf das Lauterbrunnental mit den steilen, vom Gletschereis abgetragenen Flanken.

The ten Trümmelbach Falls cascade down inside the mountain to the Lauterbrunnen Valley. Visitors can access them via stairways and a lift. The falls drain the meltwater from the glaciers of the Eiger, Mönch and Jungfrau (left). The spray of the Staubbach Falls inspired Goethe to write his famous poem «The Song of the Spirits over the Waters» (right).

Previous double page: View of Lauterbrunnen Valley, its steep sides shaped by glacier ice.

In der Jungfrauregion lassen sich im Sommer einmalige Wanderungen unternehmen, zum Beispiel durch die herrliche Moorlandschaft auf der Grossen Scheidegg (links). Im Winter bringt die Wengernalpbahn die Sportlerinnen und Sportler ins Skigebiet auf der Kleinen Scheidegg. Im Hintergrund Grindelwald und die steile Flanke des Wetterhorns (rechts).

Vorangehende Doppelseite: Der autofreie Ferienort Wengen in der Winterdämmerung. Ein Zug der Wengernalpbahn hinterlässt oberhalb des auf einer Terrasse liegenden Orts einen Lichtstreifen.

The Jungfrau Region offers unique hikes in summer, for example through wonderful moorland on Grosse Scheidegg (left). In winter, the Wengernalp Railway carries winter-sport fans up to the ski pistes on Kleine Scheidegg. In the background, Grindelwald and the steep flanks of the Wetterhorn (right).

Previous double page: The car-free holiday resort of Wengen in the winter twilight. A Wengernalp Railway train leaves a trail of light above the village, which nestles on its mountain terrace.

Die Firstbahn erschliesst oberhalb von Grindelwald ein schönes Ski- und Wandergebiet mit einer atemberaubenden Aussicht auf die Viertausender (links). Im nahen Bachalpsee spiegeln sich die höchsten Berner Alpen. Von links: Das Wetterhorn, das umwölkte Schreckhorn, das Finsteraarhorn und die Fiescherhörner (rechts).

Folgende Doppelseite: Die Jungfrauregion bildet zusammen mit dem Aletschgletscher, dem längsten Alpengletscher, das UNESCO-Weltnaturerbe Jungfrau-Aletsch. Rechts oberhalb des Gletschers erkennt man das Jungfraujoch, links der Bildmitte erhebt sich das 4195 m hohe Aletschhorn.

The First aerial cableway provides access to the fantastic skiing and hiking region above Grindelwald with its breathtaking views of four-thousand-metre peaks (left). Nearby Bachalpsee lake reflects the highest summits in the Bernese Alps. From left: the Wetterhorn, the cloud-shrouded Schreckhorn, the Finsteraarhorn and Fiescherhörner (right).

Following double page: The Jungfrau Region, together with the Aletsch Glacier, the longest Alpine Glacier, forms the UNESCO World Natural Heritage Jungfrau-Aletsch. The Jungfraujoch can be seen above the glacier to the right. The 4195-metre-high Aletschhorn towers left of centre.

An den Fuss des Eigers

At the Foot of the Eiger

Text: Beat Moser

Berner Oberland-Bahn (BOB)
Bernese Oberland Railway (BOB)

Vorangehende Doppelseite: Die Wengernalpbahn auf der Tiefengrabenbrücke unterhalb der Kleinen Scheidegg. In voller Pracht zeigen sich Eiger, Mönch und Jungfrau.

Rechte Seite oben: Bahnhof Interlaken Ost um 1920, nach der Elektrifizierung der Berner Oberland-Bahn (links). Bahnhof Grindelwald zur Dampfzeit um 1910 (rechts).

Previous double page: The Wengernalp Railway on the Tiefengraben bridge below Kleine Scheidegg. The Eiger, Mönch & Jungfrau in all their glory.

Page right above: Interlaken Ost railway station around 1920 after electrification of the Bernese Oberland Railway (left). Grindelwald railway station around 1910 during the era of steam (right).

Die Eisenbahn-Erschließung der Jungfrau-Region begann mit dem Bau der Berner Oberland-Bahn im Jahr 1887. Innert 36 Monaten errichteten fast 1200 mehrheitlich italienische Arbeiter eine 23,56 Kilometer lange Meterspurstrecke, die sie für den kombinierten Adhäsions- und Zahnradantrieb ausrüsteten. Vier maximal 90 bis 120 Promille steile Rampen erhielten Zahnstangen des Systems Riggenbach. Die Eröffnungsfeier fand am 29. Juni 1890 statt.

Der Schienenweg der Berner Oberland-Bahn beginnt in Interlaken Ost und führt über Wilderswil nach Zweilütschinen, wo er sich nach Lauterbrunnen und Grindelwald verzweigt.

Ursprünglich beförderten dreiachsige, mit Kohle befeuerte Lokomotiven die Züge. Der Dampfbetrieb endete mit dem Abschluss der Elektrifizierung am 17. März 1914. Seither verkehrt die BOB unter einer mit 1500 Volt Gleichstrom gespeisten Fahrleitung. Die Zugförderung übernahmen vorerst Kleinloks des Typs HGe 3/3, die ab 1949 durch leistungsfähigere Personentriebwagen abgelöst wurden.

In den letzten Jahren erhielt die Berner Oberland-Bahn eine umfassende Modernisierung. Dabei beschaffte man bequeme Niederflur-Steuerwagen und optimierte die Leistung der Triebwagen. Mit zeitgemäßen Sicherungsanlagen, verkürzten Streckenblockabschnitten und einer längeren Doppelspurinsel ließ sich die Streckenkapazität erhöhen. Sämtliche Steilrampen erhielten neue Zahnstangen der vereinfachten Bauart Von Roll. Die zulässigen Höchstgeschwindigkeiten betragen heute 70 km/h (Adhäsion) und 40 km/h (Zahnstange).

Das Operations- und Logistikzentrum mit der Betriebsleitstelle, der Depotwerkstätte und den technischen Diensten befindet sich in Zweilütschinen. Hier werden alle Fahrzeuge unterhalten, repariert und erneuert.

An den Endbahnhöfen Lauterbrunnen (797 m) und Grindelwald (1034 m) vermittelt die BOB optimale Anschlüsse an die Wengernalpbahn.

The development of railway access in the Jungfrau Region began with the construction of the Bernese Oberland Railway in 1887. Within 36 months, nearly 1200 workers, most of them Italian, constructed the 23.56-kilometre, one-metre gauge track, equipped for a combination of cogwheel and adhesion railway operation. Four steep ramps with gradients of maximum 90 to 120 per mille were fitted with a Riggenbach rack system. The opening ceremony took place on 29th June 1890.

The Bernese Oberland Railway line starts at Interlaken Ost station and travels via Wilderswil to Zweilütschinen where it divides to continue to Lauterbrunnen and Grindelwald.

Initially, the trains were hauled by triple-axle, coal-fired locomotives. Steam operation ended on 17th March 1914 with the completion of electrification. Since then, the BOB has operated with catenary lines fed by 1500 volt direct current. The trains were first pulled by small HGe 3/3 locomotives, which were replaced in 1949 by more efficient passenger locomotives.

The Bernese Oberland railway has been extensively modernized in recent years. This has included the acquisition of comfortable low-floor control cars and the optimization of railcar performance. Increased route capacity was achieved by using up-to-date safety systems, shortened block sections and a longer double-track section. All steep ramps were fitted with new, simpler Von Roll racks. Today's maximum speeds are 70 km/h (adhesion) and 40 km/h (rack and pinion).

The operations and logistic centre, with the railway control centre, depot workshops and technical services are located in Zweilütschinen. All rolling stock is maintained, repaired and overhauled here.

Optimal connections are provided to the Wengernalp Railway at the two terminus stations in Lauterbrunnen (797 m) and Grindelwald (1034 m).

Moderne BOB-Zugkomposition mit Niederflur-Steuerwagen unterhalb von Grindelwald, im Hintergrund das Wetterhorn.

Modern BOB train composition with low-floor control car below Grindelwald, Wetterhorn in the background.

Wengernalpbahn (WAB)
Wengernalp Railway (WAB)

Kreuzungsstelle Wengernalp vor 1900 mit Eiger und Mönch.

Rechte Seite: Kleine Scheidegg kurz nach der Eröffnung der Wengernalpbahn, noch vor dem Bau der Jungfraubahn (oben). Dampflok mit Sommerwagen in der Station Wengernalp (unten).

Crossing point at Wengernalp before 1900, with Eiger and Mönch.

Page right: Kleine Scheidegg soon after the opening of the Wengernalp Railway, before the construction of the Jungfrau Railway (above). Steam locomotive with summer carriages at Wengernalp station (bottom).

Im Juli 1891 begannen rund 800 Arbeitskräfte gleichzeitig in Lauterbrunnen und in Grindelwald mit dem Bau der Wengernalpbahn. Innert zweier Jahre entstand eine 19,11 Kilometer lange Schienenverbindung mit 800 Millimeter Spurweite, 250 Promille Maximalsteigung und bis 60 Meter engen Kurvenradien. Auf voller Länge wurde eine Zahnstange des Systems Riggenbach eingebaut. Am 20. Juni 1893 begann der Fahrplanbetrieb, der sich während der Wintermonate vorerst auf Erschließungsfahrten zwischen Lauterbrunnen und Wengen beschränkte.

Die Zahl der Dampflokomotiven des Typs H 2/3 wuchs bis 1906 auf sechzehn Einheiten. Bereits 1909/10 erfolgte die Elektrifizierung mit einer Fahrdrahtspannung von 1500 Volt Gleichstrom. Fortan schoben zweiachsige Elektroloks die Reise- und Güterwagen mit 12 km/h Höchstgeschwindigkeit zur Kleinen Scheidegg hoch.

Zum Schutz vor Lawinen und Steinschlag musste der ursprüngliche Streckenabschnitt Lauter-

In July 1891, around 800 workers began construction of the Wengernalp Railway simultaneously in Lauterbrunnen and Grindelwald. Within two years, the 19.11-kilometre-long track connection had been completed, with an 800 millimetre gauge, maximum gradient of 250 per mille and tight curves of up to 60 metres radius. A Riggenbach rack system was installed along the entire length. Operation to a timetable began on 20th June 1893, which during the winter months was initially limited to providing connecting services between Lauterbrunnen and Wengen.

By 1906, the number of H 2/3 steam locomotives had grown to 16. Electrification was introduced with a catenary line of 1500 volts direct current in 1909/10. From then, double-axle electric locomotives hauled passenger carriages and goods wagons up to Kleine Scheidegg at a maximum speed of 12 km/h.

Between 1908 and 1910, the original railway section from Lauterbrunnen to Wengen had to be

Nach dem Verlassen der Station Grindelwald Grund schiebt die Dampflok ihren Personenwagen bergwärts gegen die Kleine Scheidegg (links). Viel Rauch und Dampf im Bahnhof Wengen (rechts). Beide Aufnahmen vor 1909.

Rechte Seite: Die Felswände des Lauterbrunnentals bleiben zurück, während der Zug über die Baumgrenze gegen die Kleine Scheidegg hochsteigt.

After leaving Grindelwald Grund station, the steam locomotive pushes its carriages up the mountain towards Kleine Scheidegg (left). Plenty of smoke and steam at Wengen station (right). Both pictured before 1909.

Page right: The rock faces of the Lauterbrunnen Valley are left behind as the train climbs past the tree line up to Kleine Scheidegg.

brunnen–Wengen zwischen 1908 und 1910 um eine Neubaustrecke mit Kehrtunnel und 190 Promille Maximalsteigung erweitert werden. Die alte Gleisverbindung ist erst 2009 rückgebaut worden.

Im Winter 1913/14 verkehrten erste Sportzüge zwischen Wengen und der Kleinen Scheidegg. Ab 1933/34 wurden die Wintergäste dann auch ab Grindelwald zum Skigebiet an Eiger, Mönch und Jungfrau hochgefahren.

Im Jahr 1947 traten die ersten Personentriebwagen ihren Dienst an. Eine umfassende Modernisierung der WAB begann 1988 mit der Beschaffung von Doppeltriebwagen. Sie erreichte in den Jahren 2004/05 mit der Inbetriebnahme von dreiteiligen Niederflur-Panorama-Gelenkzügen einen vorläufigen Höhepunkt. Zusätzlich wurden Strecken- und Bahnhofausbauten, Doppelspurinseln sowie neuzeitliche Sicherungseinrichtungen realisiert, um die dank ständig steigender Nachfrage dringend erforderliche Kapazitätserweiterung zu erreichen.

Die Wengernalpbahn fährt sowohl von Grindelwald als auch von Lauterbrunnen zur Kleinen Scheidegg hoch. Dort vermittelt sie direkten Anschluss an die Jungfraubahn. Die heutige Höchstgeschwindigkeit der Züge beträgt 22 bis 28 km/h (Bergfahrt) und 15 bis 21,5 km/h (Talfahrt).

Unterhaltswerkstätten betreibt die WAB in Lauterbrunnen und Grindelwald Grund. Man ist bestrebt, die Leistungsfähigkeit im Reise- und Güterverkehr zu erweitern, um den bis heute ohne Zufahrtsstraße gebliebenen Ferienort Wengen und den bedeutenden Umschlagplatz Kleine Scheidegg auch künftig zuverlässig bedienen zu können.

Anreise ab Lauterbrunnen

Die Züge der WAB starten in Lauterbrunnen (797 m) direkt neben den Gleisen der Berner Oberland-Bahn und überwinden dann innert einer Dreiviertelstunde bis zur Kleinen Scheidegg insgesamt 1264 Höhenmeter auf 10,47 Kilometer Streckenlänge.

Nach der Bahnhofausfahrt wendet sich der Schienenstrang in einer Linkskurve an die Ostflanke des Lauterbrunnentals. Mit 182 Promille

extended with a new stretch of railway and a helical tunnel with a maximum gradient of 190 per mille as protection from avalanches and rock fall. The old track connection was first dismantled in 2009.

The first winter-sport trains began operating between Wengen and Kleine Scheidegg in 1913/14. From 1933/34, winter guests were also carried up from Grindelwald to the ski area beneath the Eiger, Mönch and Jungfrau.

The first passenger locomotives went into service in 1947. A comprehensive modernisation of the WAB began in 1988 with the acquisition of twin railcars. This reached its interim high point in 2004/05 with the introduction of three-part, low-floor, articulated panorama trains. In order to meet the constant demand for increased capacity, work was also completed on the development of railway sections and stations as well as on double-track sections, and modern safety systems were introduced.

The Wengernalp Railway travels from both Grindelwald and Lauterbrunnen up to Kleine Scheidegg, where it provides a direct connection to the Jungfrau Railway. The maximum speed of today's trains is 22 to 28 km/h uphill and 15 to 21.5 downhill.

The WAB maintenance workshops are located in Lauterbrunnen and Grindelwald Grund. Every effort is made to increase the efficiency of passenger and goods traffic in order to continue to provide a reliable service to the holiday resort of Wengen, which remains without road access, and the important transfer station of Kleine Scheidegg.

Arrival from Lauterbrunnen

The WAB trains start in Lauterbrunnen (797 m) directly next to the tracks of the Bernese Oberland Railway (BOB). The journey to Kleine Scheidegg takes 45 minutes, covering a height difference of 1264 metres and a distance of 10.47 kilometres.

After leaving the station, the track curves to the left on the east flank of the Lauterbrunnen Valley. Climbing a maximum gradient of 182 per mille, the rack railway leaves the lush meadow landscape behind and crosses several rocky ravines and scree-

Maximalsteigung verlässt das Zahnstangengleis die üppige Wiesenlandschaft und quert im teilweise bewaldeten Hang einige felsige Rinnen und geröllführende Gräben. Die Bahn verschwindet im 136 Meter langen Wurmschopf-Tunnel, den sie kurz vor der Kreuzungsstelle Rohrfluh wieder verlässt.

Über dem Wengwald holt die Strecke in offenerem Gelände nach Norden aus und dreht in einem 248 Meter langen Kehrtunnel einen Halbkreis. Wenig später rollt der Zug langsam in den Bahnhof des autofreien Sportferiendorfes Wengen (1274 m) ein. Wie schon in Lauterbrunnen gibt es auch hier verschiedenste Umschlagseinrichtungen für die wichtigen Versorgungstransporte der Zahnradbahn.

Auf dem Weg zur Wengernalp führt die bis 190 Promille ansteigende Bahnlinie an den Haltestellen Allmend und Bannwald vorbei. Auf diesem Abschnitt gilt das Interesse der Reisenden der berühmten Lauberhorn-Skiabfahrt, für die jeweils im Januar die ganze Weltcup-Elite nach Wengen kommt. Nach dem Start an der Lauberhornschulter und nach dem Traversieren von Hundschopf und Minschkante unterqueren die mit hohem Tempo talwärts rasenden Skifahrer bei der Haltestelle Wasserstation auch die Bahnstrecke. An dieser Stelle wurden zur Dampfzeit die Kesselwasser-Vorräte der mit Kohle befeuerten Loks ergänzt.

Wenig später verdient die zauberhafte Bergwelt die volle Aufmerksamkeit der Fahrgäste. Über den Alpweiden präsentiert sich prachtvoll das Dreigestirn Eiger, Mönch und Jungfrau. Nach einem Kurzhalt in der Station Wengernalp (1874 m) verbleiben noch zwei Kilometer Fahrtstrecke bis die ersten Gebäude der Kleinen Scheidegg (2061 m) auftauchen.

Hier stehen auf beschränktem Raum verschiedenste Gleisanlagen und Einstellhallen der Bahn in Kontrast zu geschichtsträchtigen Hotelbauten und zu geschäftigem Treiben in Gaststätten und auf Sonnenterrassen. Nach der Ankunft im Bahnhof Kleine Scheidegg verlassen die Passagiere den Zug der WAB. Die meisten Gäste wechseln in die meterspurige Zahnradbahn zum Jungfraujoch.

depositing gullies on the partially forested slope. The track then disappears into a 136-metre-long tunnel to emerge again just before the crossing point at Rohrfluh.

Above the Wengwald forest, the track heads north in open terrain and turns a semicircle in a 248-metre-long helical tunnel. Shortly afterwards, the train rolls slowly into the station at the car-free sports resort of Wengen (1274 m). Here, as in Lauterbrunnen, there are various transfer facilities for the essential transport of supplies by the cogwheel railway.

On the way up to Wengernalp, the railway line with a gradient of up to 190 per mille, passes the Allmend and Bannwald stations. On this section, the attention of passengers turns to the course of the famous Lauberhorn Downhill Ski Race, which every January attracts the entire World Cup elite to Wengen. After the start on the Lauberhorn shoulder and mastering the notorious Hundschopf and Minschkante jumps, the skiers race down the hill at top speed and also cross beneath the railway line at the Wasserstation (water station). This is where the water supply for the boiler was replenished during the era of coal-fired steam trains.

A little later, the enchanting mountain world captures the full attention of the passengers. The impressive Eiger, Mönch & Jungfrau appear above the Alpine pastures. After a short stop at Wengernalp station (1874 m), only two kilometres remain before the buildings at Kleine Scheidegg (2061 m) come into sight.

Here, various railway lines and depot buildings in a compact area stand in contrast to the history-steeped hotels and busy activity in the restaurants and on the sun terraces. All passengers leave the WAB train on arrival at Kleine Scheidegg. Most then change to the one-metre-gauge cogwheel railway to the Jungfraujoch.

Anlässlich der Lauberhornrennen leisten Bahn und Personal wichtige Logistik- und Transportaufgaben. Gespannt verfolgt das Publikum den Rennbetrieb mit Blick gegen Minschkante und Hundschopf (oben). Kurz nach dem Start an der Lauberhornschulter ist der Rennläufer unterwegs zum Hundschopf (unten).

During the Lauberhorn Races, the railway and its personnel carry out important logistical and transport tasks. Excited spectators follow the race, looking towards the Minschkante and Hundschopf sections (above). Shortly after the start on the Lauberhorn shoulder, the ski racer is speeding towards the Hundschopf jump (bottom).

Die Niederflur-Panorama-Gelenkzüge repräsentieren die modernste Rollmaterial-Generation der Wengernalpbahn. In der Station Grindelwald Grund befindet sich eine der beiden Unterhaltswerkstätten.

The low-floor, articulated panorama trains represent the latest generation of Wengernalp Railway rolling stock. One of the two maintenance workshops is located at Grindelwald Grund station.

Anreise ab Grindelwald

Die BOB und die WAB teilen sich auch in Grindelwald den Bahnhof (1034 m). Vom berühmten Bergsteigerdorf aus legt die Wengernalpbahn bis zur Kleinen Scheidegg insgesamt 8,64 Kilometer zurück.

Vorerst steigt die Zahnradbahn zum Bahnhof Grindelwald Grund (943 m) hinunter. Hier machen alle Züge eine Spitzkehre, bevor sie den Aufstieg von 1118 Höhenmetern mit Maximalsteigungen von 190 bis 250 Promille unter ihre Räder nehmen.

Die gemächlich bergwärts fahrende Zuggarnitur kreuzt in den beiden Ausweichstellen Rohr und Brandegg mehrere von der Kleinen Scheidegg herunterkommende Gegenzüge. Zwischen den Kreuzungsstellen Alpiglen, Strättli und Salzegg ist das Zahnstangengleis mit drei längeren Lawinen-Schutzgalerien überdacht.

Gut dreißig Fahrtminuten nach der Abfahrt in Grindelwald nähert sich der Zug der Kleinen Scheidegg (2061 m). In Fahrtrichtung links ragt die gewaltige Eiger-Nordwand dominant und fast senkrecht himmelwärts. Lieblicher sind die Ausblicke aus den rechten Wagenfenstern, wo man bei entsprechendem Wetter ins Grindelwaldtal hinunterschauen und das zum Wandern und Skifahren beliebte Gebiet beim Lauberhorn und Männlichen bewundern kann.

Arrival from Grindelwald

The BOB and WAB also share the station in Grindelwald (1034 m). The Wengernalp Railway travels 8.64 kilometres from the famous mountaineering village up to Kleine Scheidegg.

The trains of the cogwheel railway first travel down to Grindelwald Grund station (943 m). Here, all trains have to make a back shunt before starting the 1118-metre climb with its maximum gradient of 190 to 250 per mille.

At the two crossing sections at Rohr and Brandegg, the train climbing slowly uphill meets several others coming down from Kleine Scheidegg. The cogwheel railway track is covered by lengthy avalanche-protection galleries between the crossing points at Alpiglen, Strättli and Salzegg.

Barely 30 minutes after leaving Grindelwald, the train approaches Kleine Scheidegg (2061 m). To the left in the direction of travel, the mighty Eiger North Wall towers up into the sky, almost vertical and rather intimidating. The view from the carriage windows to the right is rather more appealing and weather permitting, can be admired down into the Grindelwald Valley and up to the Lauberhorn and Männlichen region, so popular with skiers and hikers.

Den Eiger lässt der Niederflur-Gelenkzug hinter sich, während er zwischen beweideten Alpwiesen und begrenzten Waldflächen von der Kleinen Scheidegg ins Grindelwaldtal absteigt (oben). Die Station Alpiglen nutzen die sportlichen Gäste als Start- und Zielort ihrer abwechslungsreichen Wanderungen (unten).

The low-floor articulated train leaves the Eiger behind on its way down from Kleine Scheidegg to Grindelwald, travelling between Alpine pastures and areas of forest (above). Alpiglen station is used by active guests as the start and finish of a wide range of hikes (bottom).

Die Geschichte der Jungfraubahn

The history of the Jungfrau Railway

Text: Peter Krebs

Ein Zürcher Industrieller baut die erste Hochgebirgsbahn

A Zurich industrialist builds the first railway in the high Alps

Der Zürcher Textilunternehmer Adolf Guyer-Zeller (1839–1899) war die treibende Kraft hinter dem Bau der Jungfraubahn. Er starb während des Baus. Ölgemälde von H. Barrenscheen.

Vorangehende Doppelseite: Eiger, Mönch und Jungfrau: Aus einem frühen Werbeprospekt der Jungfraubahn. Illustration von E. E. Schlatter.

Zurich textile industrialist Adolf Guyer-Zeller (1839–1899) was the driving force behind the construction of the Jungfrau Railway. He died during its construction. Oil painting by H. Barrenscheen.

Previous double page: Eiger, Mönch & Jungfrau: from an earlier Jungfrau Railway advertising brochure. Illustration by E. E. Schlatter.

Eine Zahnradbahn auf den Gipfel der Jungfrau: Es war ein kühnes Projekt, das sich der Zürcher Industrielle Adolf Guyer-Zeller 1893 während einer Bergwanderung vornahm. Auch wenn die 1912 eröffnete erste Bahn ins Hochgebirge «nur» bis aufs Jungfraujoch führt, war ihr Bau eine bewundernswerte und erfolgreiche Pionierleistung. Es galt, anspruchsvolle technische, bergmännische, finanzielle und wissenschaftliche Hürden zu meistern.

Am 20. Dezember 1893 reicht der Unternehmer Adolf Guyer-Zeller beim Schweizerischen Bundesrat das Konzessionsgesuch für den Bau einer Bahn auf die Jungfrau ein. Darin beschreibt der damals 54-Jährige trocken und etwas unpersönlich, wie er auf den Gedanken gekommen sei, dieses Unternehmen anzupacken, das vielen als geradezu abenteuerlich erscheint: «Als der Unterzeichnete am 26. August d. J. von Mürren aus das Schilthorn bestieg, und von klarem Wetter begünstigt die Eiger-, Mönch und Jungfraugruppe während eines Tages überblicken konnte, wurde die Idee für die Aufstellung eines neues Traces für eine Jungfraubahn gefasst.»

Dieses Understatement scheint typisch zu sein für den aus einem alten Zürcher Oberländer Ge-

A cogwheel railway to the summit of the Jungfrau: the project that Zurich industrialist Adolf Guyer-Zeller resolved to undertake during a mountain hike in 1893 was certainly ambitious. Even if the first railway in the high Alps, opened in 1912, in the end «only» travelled up to the Jungfraujoch, its construction was worthy of admiration and a successful pioneering feat. Challenging technical, mining, financial and scientific obstacles had to be overcome.

On 20th December 1893, businessman Adolf Guyer-Zeller submitted an application to the Swiss Federal Council for a concession to build a railway up the Jungfrau. In it, the 54-year-old described in a dry and rather impersonal manner how he had arrived at the idea of tackling this enterprise, which many regarded as far too risky: «As the undersigned was climbing up to the Schilthorn from Mürren on 26th August of this year and with the benefit of clear weather was able to study the Eiger, Mönch and Jungfrau group for a whole day, the idea for the creation of a new route for a Jungfrau Railway took hold.»

This understatement seems in character for the industrialist, who came from an old Zurich Oberland family. As the only son of businessman Johann Rudolf Guyer-Wepf, he was destined to take over and expand the family cotton mill in Neuthal near Bauma. He became sole owner in 1874 but it gave him no satisfaction. In his earlier days, he had been fascinated by railway construction and it was here that he found the ideal field of activity for his dynamism and drive. He was drawn to projects that were extremely challenging in both a technical and financial sense. At the same time, he was pragmatic enough – for the most part – to only undertake those that were feasible. In his business enterprises, Guyer-Zeller took as his basis the motto that he had had painted above the salon door in his splendid residence on the factory site in Neuthal: «Volere è potere!» (To want to is to be able to).

His élan, paired with a sense of what was practical, revealed itself during his education. As a stu-

So sah die Guyer'sche Fabrikanlage in Neuthal um 1840 aus. Sie war von Johann Rudolf Guyer mitbegründet worden. Dessen Sohn Adolf Guyer-Zeller übernahm sie später. Reproduktion von W. Sprenger, Bauma.

The Guyer factory complex in Neuthal around 1840, co-founded by J. R. Guyer and later taken over by his son Adolf Guyer-Zeller. Reproduction by W. Sprenger, Bauma.

schlecht stammenden Industriellen. Als einziger Sohn des Unternehmers Johann Rudolf Guyer-Wepf ist er dazu bestimmt, die Baumwollspinnerei im Neuthal bei Bauma zu übernehmen und auszubauen, deren Alleininhaber er 1874 wird. Aber er gibt sich damit nicht zufrieden. Im Eisenbahnbau, der ihn früh fasziniert, findet er das geeignete Tätigkeitsfeld für seinen Tatendrang. Er fühlt sich dabei von technisch und finanziell äußerst anspruchsvollen Projekten angezogen. Gleichzeitig ist er pragmatisch genug, sich – meist – nur solche vorzunehmen, die realisierbar sind. Guyer-Zeller orientiert sich in seinen Unternehmungen an jenem Wahlspruch, den er über der Salontür seines stattlichen Wohnsitzes auf dem Fabrikgelände in Neuthal aufmalen lässt: «Volere è potere!», Wollen ist Können.

Sein mit praktischem Sinn gepaarter Elan zeigt sich schon während der Ausbildung. Als Student beschränkt sich Adolf Guyer nicht auf die Fächer, die für die vorgespurte Karriere eines Textilunternehmers nötig sind. Er hat breite Interessen, besucht in Genf Vorlesungen über Geologie, ein Fach, das für den Eisenbahnbau grundlegend war. Dies zum Leidwesen seines Vaters, der in einem Brief offen erklärt, welche Absichten er mit seinem Sohn verfolgt: «Ich will halt mit Gewalt einen tüchtigen Industriellen und kein gelehrtes Haus aus dir machen.» Trotzdem unterstützt er Adolf, als dieser als 21-Jähriger die Tätigkeit im väterlichen Betrieb unterbricht, um eine Weltreise nach England, Kuba und in die USA zu unternehmen. Der aufgeweckte junge Mann nutzt sie als Ausbildungs- und Wanderjahre, die er ausgesprochen systematisch plant: «2/3 der Zeit sollen tüchtig dazu verwandt werden, Nutzen für die Zukunft zu ziehen, 1/3 sei für mich frei und als Cosmopolit werden von mir die beiden Hemisphären bereist», notiert er in sein Tagebuch. Im Herbst 1861, nach anderthalb Jahren, kehrt er in den väterlichen Betrieb zurück. Im Gepäck bringt er hochfliegende Pläne für seine Zukunft mit, darunter zahlreiche konkrete Vorhaben für den Bau von Eisenbahnen. Dieses Verkehrsmittel erlebt in der Schweiz seine

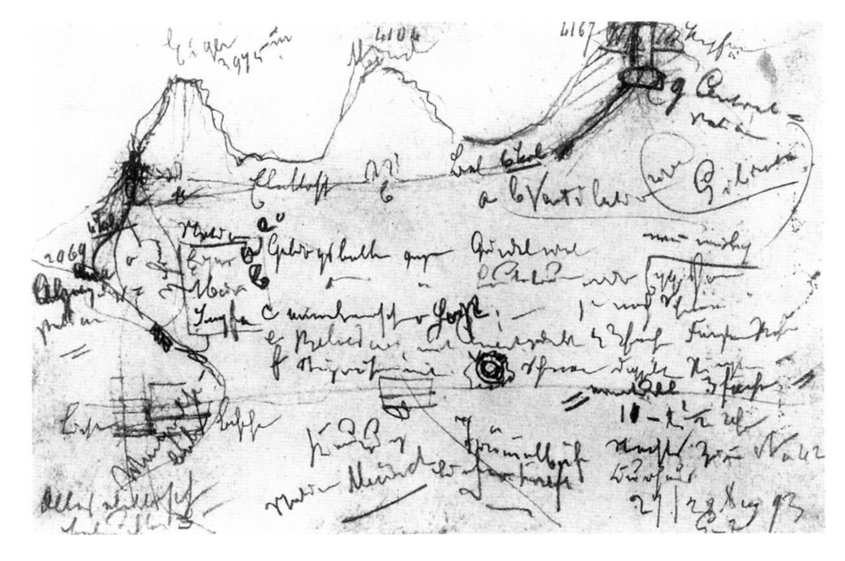

Nach einer Wanderung aufs Schilthorn skizzierte Adolf Guyer-Zeller Ende August 1893 seine Vorstellungen für den Bau der Jungfraubahn in sein Notizbuch.

After hiking on the Schilthorn in 1893, Adolf Guyer-Zeller sketched his concept for the construction of the Jungfrau Railway in his notebook.

dent, Adolf Guyer did not restrict himself to the subjects necessary for his pre-programmed career as a textile manufacturer. He had a wide range of interests and, in Geneva, attended lectures on geology, an essential subject for railway construction. This to the vexation of his father, who clearly spelled out his intentions for his son in a letter: «I want to make an accomplished industrialist not a scholar out of you, by force if necessary.» Nevertheless, he supported Adolf, when, at the age of 21, he broke off working in his father's business to set off on a world tour of Great Britain, Cuba and the USA. The bright young man used the years for education and travel, planning them extremely systematically. In his diary he wrote: «Two-thirds of the time should be used efficiently, capitalizing for the future, one-third is free for me and as a cosmopolitan, I shall travel both hemispheres.» In autumn 1861, he returned to his father's business after eighteen months of travel. In his luggage, he brought high-flying plans for his future, including many concrete proposals for railway construction. This form of transport was experiencing its pioneering days in Switzerland and true railway fever was setting in. Rival private railways built uncoordinated new stretches in a very short time and from the 1870s, many companies

Pionierzeit, die in ein eigentliches «Eisenbahnfieber» mündet. Die sich konkurrenzierenden Privatbahnen bauen in kurzer Zeit und unkoordiniert neue Strecken. Viele Unternehmen geraten ab den 1870er-Jahren in eine Krise. Für den Textilunternehmer Guyer-Zeller (so nannte er sich nach der Heirat mit der Industriellentochter Anna Zeller im Jahr 1869) wird der Eisenbahnbau zum Schicksal.

Er glaubt an die Zukunft dieses Verkehrsmittels und beweist dabei auch einen ausgeprägten Geschäftssinn. Er kauft als wertlos eingestufte Aktien und Obligationen der Gotthardbahn, als das Projekt während des Baus in Finanznöten steckt. 1882, bei der Eröffnung des Tunnels, hat sich der Wert seiner Anlagen vervielfacht. Guyer-Zeller ist ein reicher Mann. Er engagiert sich ab 1879 auch bei der Schweizerischen Nordostbahn (NOB), zu deren Verwaltungsratspräsidenten er sich 1894 macht; und er gründet die Uerikon-Bauma-Bahn (UeBB), die seine Spinnereien in Neuthal bedienen und ans internationale Bahnnetz anschließen wird. Sein größtes Projekt, die «Engadin-Orientbahn», die Passagiere von Chur via das Engadin und den Ofenpass bis nach Triest befördern soll, kann er allerdings nicht mehr in die Tat umsetzen. Als er sich als 54-Jähriger an die ehrgeizige Aufgabe zum Bau der Jungfraubahn wagt, hat er den nicht nur schmeichelhaften Ruf eines «Eisenbahnbarons» erworben.

Das späte 19. Jahrhundert ist eine optimistische und fortschrittsgläubige Zeit. Kühne und neuartige Projekte sorgen für Aufsehen. 1989 wird in Paris für die Weltausstellung der 300 Meter hohe Eiffelturm vollendet. Das damals weitaus höchste Gebäude der Welt ist für die Besucher mit Aufzügen erschlossen. Die Eisenkonstruktion illustriert eindrücklich die neuen Dimensionen, in die die Technik die Menschen auch in der Vertikalen zu tragen vermag. In der Schweiz bringen erste Zahnrad- und Standseilbahnen die Ausflügler auf Aussichtsgipfel: auf die Rigi und den Pilatus in der Zentralschweiz und seit 1892 auf das Brienzer Rothorn im Berner Oberland. Mit dem Bau der Brenner- und der Gotthardbahn haben die Ingenieure

plunged into crisis. For textile manufacturer Guyer-Zeller (as he called himself after his marriage to industrialist's daughter Anna Zeller in 1869), railway construction became his destiny.

Guyer-Zeller believed in the future of this means of transport and here demonstrated a marked business acumen. He acquired Gotthard Railway shares and bonds that had been judged worthless when the project hit financial problems during construction. When the tunnel opened in1882, the value of his investment had increased many times over and Guyer-Zeller was a rich man. From 1879, he was also involved with the Swiss North-East Railway (NOB), of which he made himself chairman of the executive board in 1894. He also founded the Uerikon-Bauma Railway (UeBB) to serve his spinning mill in Neuthal and provide a link to the international railway network. However, he was no longer able to realize his biggest project, the Engadin-Orient Railway, intended to carry passengers from Chur via the Engadin and the Ofen Pass to Trieste. When, at the age of 54, he ventured on the ambitious task of constructing the Jungfrau Railway, he had earned a reputation as a railway baron that was not necessarily flattering.

The late 19th century was a time of optimism and belief in progress. Bold and innovative projects attracted attention. In 1989, the 300-metre-high Eiffel Tower was completed for the World Exhibition in Paris. At that time the tallest building in the world, it had lifts for visitor access. The iron construction was a striking example of new dimensions in which technology could also carry people in a vertical direction. In Switzerland, the first cogwheel railways and funiculars carried day-trippers up to vantage summits; the Rigi and Pilatus in Central Switzerland and from 1892 up the Brienzer Rothorn in the Bernese Oberland. With the construction of the Brenner and Gotthard Railways, engineers proved that high ramps and long tunnels in the Alps were possible.

The ground for the Jungfrau Railway had been prepared. However, the project was risky. In 1890, some rather adventurous plans existed for railways

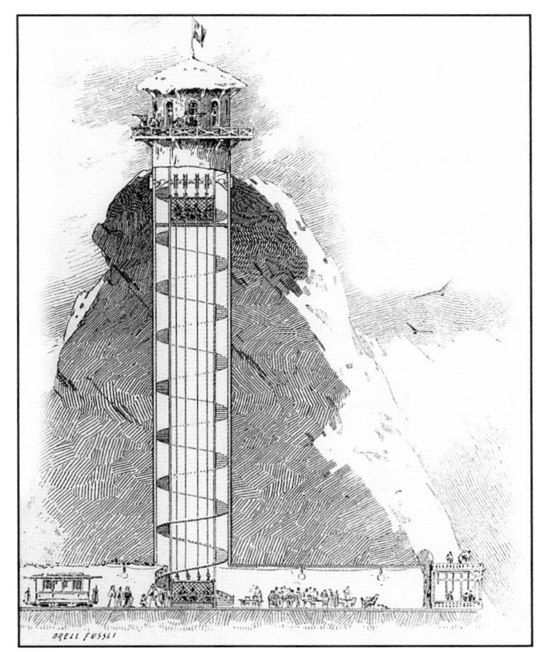

den Beweis erbracht, dass hohe Rampen und lange Tunnel in den Alpen realisierbar sind.

Das Terrain für die Jungfraubahn ist vorbereitet, das Projekt ist dennoch gewagt. Für Bahnen ins Hochgebirge, in die Welt der Gletscher und des ewigen Schnees, existieren um 1890 zwar teils abenteuerliche Pläne, von denen aber noch keiner ausgeführt ist. Einigen hat der in solchen Fragen aufgeschlossene Bundesrat schon die Konzession erteilt, darunter im Jahr 1892 dem nie realisierten Projekt von Xaver Imfeld, der in drei Stufen den Gipfel des berühmten Matterhorns erobern will. Für die mechanische Erschließung der Jungfrau, des bekanntesten Bergs im Berner Oberland, werden in der Jahren 1889 und 1890 gleich drei ernsthafte Projekte ausgearbeitet. Eines stammt von Maurice Koechlin, dem in der Schweiz eingebürgerten Elsässer, der im Unternehmen von Gustave Eiffel arbeitet und als eigentlicher Erfinder des Eiffelturms gilt; ein anderes von Eduard Locher, dem Erbauer der Pilatusbahn. Als sich Koechlin dem Projekt von Locher anschließt, stimmt das Parlament in Bern im April 1891 einer Konzession zu.

Diese Projekte wollen die Jungfrau vom Lauterbrunnental aus erschließen. Sie müssten einen enormen Höhenunterschied von rund 3000 Metern überwinden, um den Gipfel auf 4158 m ü. M. zu erreichen (nach den zeitgenössischen Messungen betrug die Höhe 4166 m). Das stellt technisch wie finanziell eine zu große Hürde dar. Adolf Guyer-Zeller wählt einen pragmatischeren Ansatz. Als der passionierte Alpinist am 26. August 1893 mit seiner Tochter aufs Schilthorn steigt, stößt seit zwei Monaten die Wengernalpbahn ihre Dampf-

into the high Alps, to the world of glaciers and eternal snow, but none had actually been realized. A few had been granted a concession by the Federal Council, which was open-minded on the matter, including an 1892 project by Xaver Imfeld that also never came to fruition. This envisaged reaching the summit of the famous Matterhorn in three stages. In 1889 and 1890, no fewer than three serious projects were devised for mechanical access of the Jungfrau, the most famous mountain in the Bernese Oberland. One was from Maurice Koechlin, a naturalized Swiss, born in Alsace, who worked in Gustave Eiffel's company and is considered the true inventor of the Eiffel Tower. Another was from Eduard Locher, builder of the Pilatus Railway. When Koechlin joined Locher's project, the Berne parliament granted the concession in April 1891.

These projects wanted to access the Jungfrau from the Lauterbrunnen Valley. They had to overcome an enormous 3000-metre height difference to reach the summit at 4158 metres above sea level (contemporary measurements put the height at 4166 m). The technical and financial obstacles proved too great. Adolf Guyer-Zeller took a more pragmatic approach. When the passionate mountaineer climbed the Schilthorn with his daughter on 26th August 1893, the Wengernalp Railway had been puffing clouds of steam into the mountain world for two months. The cogwheel railway travelled from Wengen and Grindelwald up to Kleine Scheidegg, 2061 metres above sea level. On this day, Guyer-Zeller realized that it would be easier and more economical to begin the railway up the Jungfrau from Kleine Scheidegg, as a continuation of the existing track system but with a wider gauge of 100

Die Projekte für die Jungfraubahn und der Bau des Eiffelturms fielen in die gleiche Zeit. Die Satirezeitschrift «Nebelspalter» nutzte diesen Umstand im Jahr 1989 für einen eigenen Vorschlag: einen Eiffelturm über dem Lütschinental samt «Dampfseilbahn» auf den Gipfel der Jungfrau (links). Das letzte Stück der Jungfraubahn wurde nie realisiert. So blieb auch der Schacht unausgeführt, der die Spitze der Jungfrau mit einer Wendeltreppe und einem «Elevator» (Lift) zugänglich machen wollte (rechts).

The project for the Jungfrau Railway and the building of the Eiffel Tower occurred at the same time. In 1989, the satirical magazine «Nebelspalter» used the situation to make its own suggestion: an Eiffel Tower over the Lütschinental Valley with a «steam-driven cableway» to the Jungfrau summit (left). The last section of the Jungfrau Railway was never realized. The shaft that was to provide access to the top of the Jungfrau via a winding stairway and lift was also never completed (right).

Rundsicht über die Bergwelt vom Gipfel der Jungfrau mit dem Aletschgletscher in der linken Bildhälfte. Panorama aus dem Jahr 1885 von Xaver Imfeld.

Rechte Seite, Mitte: Das ursprünglich geplante Projekt sah eine weitere Station auf der Nordseite des Mönchs vor. Auf diese Station Mönchsjoch wurde aus Kostengründen ebenso verzichtet wie später auf den Weiterbau der Bahn vom Jungfraujoch auf die Jungfrau. Plan aus dem im Dezember 1893 eingereichten Konzessionsgesuch.

Panoramic view of the mountain world from the summit of the Jungfrau, with the Aletsch Glacier to the left of the picture. Panorama from 1885 by Xaver Imfeld.

Page right, middle: The original project envisaged another station on the north side of the Mönch. This Mönchsjoch station was abandoned for financial reasons, as later was the continuation of the Jungfrau Railway to the Jungfrau summit. Plan from the concession application submitted in December 1893.

wolken in die Bergwelt aus. Die Zahnradbahn führt von Wengen und Grindelwald auf die Kleine Scheidegg, auf 2061 m ü. M. Guyer-Zeller erkennt an diesem Tag, dass es einfacher und wirtschaftlicher ist, die Bahn auf die Jungfrau von hier aus starten zu lassen: als Fortsetzung der bestehenden Gleisanlagen, allerdings mit der breiteren Spurweite von 100 statt 80 Zentimetern. Bereits denkt er sich auch die Linienführung aus, die er in der folgenden Nacht ein erstes Mal in seinem Notizbuch skizziert und die dann auch die Basis für den dem Konzessionsgesuch beigelegten Trasseeplan bildet.

Die Höhendifferenz zwischen der Kleinen Scheidegg und dem Gipfel der Jungfrau beträgt immer noch mehr als 2000 Meter. Guyer-Zeller wählt deshalb den «Umweg» durch den Eiger, in dessen Bauch die Schienen einen weiten Bogen von fast 180 Grad drehen sollen, um in südwestlicher Richtung durch den Mönch das Jungfraujoch zu erreichen und von da aus in einem weiteren Tunnel die Jungfrau, den dritthöchsten Gipfel der Berner Alpen. Das erlaubt es, mit einer maximalen Steigung von 25 Prozent auszukommen. Im Unterschied zu den bisher gebauten Zahnradbahnen wird die Jungfraubahn weitgehend durch das Innere der Berge geführt. Im steilen und entsprechend gefährlichen und anspruchsvollen Hochgebirge kommt eine andere Bauweise auch kaum infrage. Der Tunnel macht Bau und Betrieb unabhängig vor den Einflüssen der Witterung, und er schützt die Anlage vor Lawinen, Eis- und Steinschlag.

Dennoch sollen die Passagiere unterwegs die Aussicht genießen können. Zwischen dem Tunnelportal beim Eigergletscher und dem Jungfraujoch sind drei Galerie-Stationen vorgesehen: die erste in der Eigernordwand, die zweite auf der Südseite des Eigers, die dritte in der Nordflanke des Mönchs. Als «Fenster mit Balkon» im Berg sollen sie den Reisenden atemberaubende Ausblicke gewähren: eine zusätzliche Attraktion. Während des Baus sollen diese Stationen zur Ventilation und zur Beseitigung des Ausbruchmaterials dienen. Gleichzeitig ermöglichen sie den Bau in Etappen. Guyer-Zeller und seine Ingenieure rechnen

instead of 80 centimetres. He soon devised the route of the track, which he sketched in his notebook for the first time on the following night. This formed the basis for the track plan that accompanied his concession application.

The height difference between Kleine Scheidegg and the Jungfrau summit was still over 2000 metres. Guyer-Zeller thus chose a «detour» through the Eiger, in whose core the tracks would curve in a wide arc of almost 180 degrees and reach the Jungfraujoch in a south-western direction through the Mönch. From the Jungfraujoch, the track would continue through another tunnel to the Jungfrau, the third-highest peak in the Bernese Alps. This approach allowed a maximum gradient of 25 per cent. In contrast to earlier cogwheel railways, the Jungfrau Railway would travel mostly inside the mountain. Any other form of construction in such steep and correspondingly hazardous high-Alpine terrain was almost out of the question. The tunnel made the building and operation of the railway independent of weather conditions and also protected it from avalanches as well as ice and rock falls.

Nevertheless, passengers should be able to enjoy the views on their journey. Three gallery stations were planned between the tunnel entrance at the Eigergletscher and the Jungfraujoch: the first in the Eiger North Wall, the second on the south side of the Eiger and the third in the north flank of the Mönch. As «windows with a balcony» in the mountain, they were to give travellers breathtaking views and make an additional attraction. During construction, the stations would serve for ventilation and disposal of excavated material. At the same time, they would permit construction to be carried out in stages. In the concession application, Guyer-Zeller and his engineers estimated that it would take two years to penetrate as far as the Eismeer (Sea of Ice) station (at that time called the Kallifirn or Eiger) and another two years to reach the planned terminus on the plateau beneath the Jungfrau summit. From here, an «elevator» would climb the last 65 metres in height. By putting the railway into operation in stages, the promoters also wanted to facili-

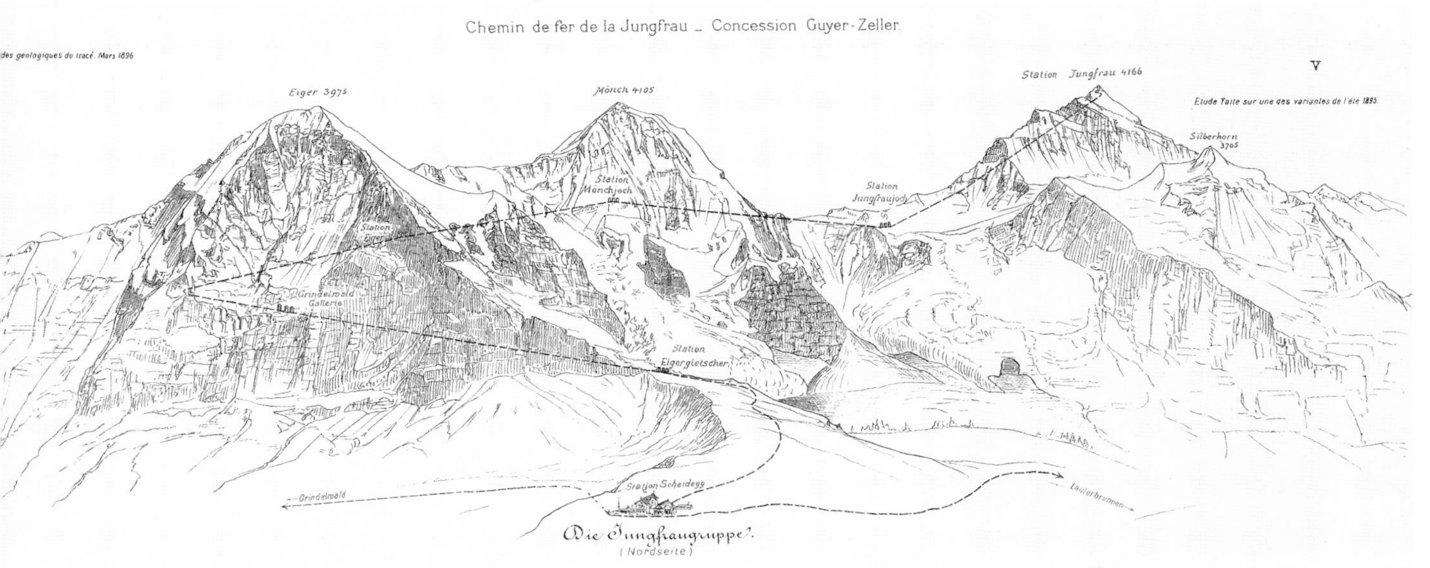

Das Projekt aus einer anderen Perspektive, «nach authentischem Material» gezeichnet. Die Vorlage bildete ein Holzstich von 1894. Links erkennt man die schon eröffnete Bahnstrecke auf die Kleine Scheidegg (unten).

The project from a different perspective «from authentic material». The original was a wood engraving from 1894. The already opened section of railway to Kleine Scheidegg can be seen on the left (bottom).

im Konzessionsgesuch damit, in den ersten zwei Jahren bis zur Station Eismeer (sie hieß damals Kallifirn oder Eiger) vorzustoßen und dann in weiteren zwei Jahren bis zur vorgesehenen Endstation auf dem Plateau unterhalb des Jungfrau-Gipfels. Hier soll zur Überwindung der letzten 65 Höhenmeter ein «Elevator» dienen. Mit der etappenweisen Inbetriebnahme der Bahn wollen die Promotoren auch die Finanzierbarkeit des auf acht Millionen Franken veranschlagten Projekts erleichtern. Denn so beginnen die Einnahmen noch während der Bauzeit zu fließen. Bezüglich der Rentabilität der Jungfraubahn, zu deren Finanzierung Guyer-Zeller 1894 eine Privatbank gründet, sind sie zuversichtlich. «Wenn eine Hochgebirgsbahn rentiert, so wird es die Jungfraubahn sein», ist der Topograf Simon Simon überzeugt, den Guyer-Zeller mit einem Gutachten betraut. «Sie erschließt die Rundsicht vom schönsten aller Berge und eröffnet gleichzeitig den Zutritt zum größten Gletschergebiet und zu den großartigsten Gebirgskolossen der Gesamtalpen.»

So optimistisch sind nicht alle. Gegen den Bau der Bahn gibt es Vorbehalte. Am intensivsten werden die gesundheitlichen Fragen diskutiert. In einer Zeit, in der die Höhenmedizin noch kaum bekannt ist, befürchten viele, dass sich die dünne Luft und die rasche Veränderung des Luftdrucks beim Aufstieg schädlich auswirken. Guyer-Zeller holt die Meinungen von renommierten Fachleuten ein. So bestätigt ihm der berühmte Ballonfahrer Eduard Spelterini 1894 in einem knappen Gutachten, «dass der kurze Aufenthalt in einer Höhe von ca. 4200 Meter für den gesunden Menschen nicht schädlich ist». Der Schweizer Alpen-Club, dem Guyer-Zeller selber angehört, vertritt die Auffassung, dass die damals schon bekannte Bergkrankheit weniger mit der verdünnten Luft zu tun habe als mit übermäßiger körperlicher Anstrengung und falscher Ernährung. Bereits gibt es auch ideelle Kritik am Projekt. Im Ständerat fordert ein Zuger Abgeordneter, dass Eiger, Mönch und Jungfrau nicht «einem alles um sich fressenden Geldmoloch zum Opfer falle». Die große Mehrheit der

tate the financial viability of the project, the cost of which had been estimated at eight million Swiss francs. In this way, an income could begin to be generated during the construction period. They were confident of the rentability of the Jungfrau Railway. Guyer-Zeller had founded a private bank in 1894 to finance it. Topographer Simon Simon, whom Guyer-Zeller had entrusted with an expertise, was convinced that «if one high-Alpine railway will make a profit, it will be the Jungfrau Railway. It will provide a panoramic view from the loveliest of all mountains while at the same time opening access to the largest glacier region and the most splendid mountain colossus in the whole of the Alps.»

But not everyone was so optimistic. There were provisos on the construction of the railway. The most intensive discussions were on the aspect of health. In a time when little was known about high-altitude medicine, many feared that the thin air and rapid change of air pressure during the ascent would have a detrimental effect on health. Guyer-Zeller gathered opinions from acclaimed experts. In a brief expertise in 1894, the famous hot-air balloonist Eduard Spelterini confirmed that «a brief stay at an altitude of around 4200 metres will not have a harmful effect on a healthy person.» The Swiss Alpine Club, of which Guyer-Zeller himself was a member, was of the opinion that the mountain sickness already known at that time had less to do with thin air than with excessive physical exertion and poor nutrition. There was also idealistic criticism of the project. In the Council of States, a member from Zug demanded that the Eiger, Mönch and Jungfrau should not «fall victim to a money Moloch that devoured everything around it.» The large majority of the government held a different opinion and awarded the Jungfrau Railway the concession on 21st December 1894.

The path to realization was thus paved in a political sense. But it was a lengthy path, which would take nearly two decades to achieve. Once again, Guyer-Zeller acted methodically yet swiftly. He appointed a «scientific commission», which sought the best solutions for the numerous technical and

Die Jungfraubahn war von Anfang an elektrisch betrieben. Das erlaubte ein kleineres Tunnelprofil. Modell eines Rowan-Zugs der Jungfraubahn aus dem Jahr 1906.

The Jungfrau Railway was powered by electricity from the start. This allowed a smaller tunnel profile. Model of a Jungfrau Railway Rowan train dating from 1906.

Eidgenössischen Räte ist anderer Meinung. Sie erteilt der Jungfraubahn am 21. Dezember 1894 die Konzession.

Damit ist der Weg zur Verwirklichung politisch geebnet. Es wird ein langer Weg, der fast zwei Jahrzehnte in Anspruch nehmen wird. Wieder geht Guyer-Zeller gründlich und gleichzeitig speditiv vor. Er bestellt eine «wissenschaftliche Kommission», die in einem international ausgeschriebenen Wettbewerb nach den besten Lösungen für die zahlreichen technischen und betrieblichen Fragen sucht. Die Jungfraubahn ist in vieler Hinsicht ein Pionierprojekt. Lösungen «ab Stange» gibt es nicht. So grundlegende Komponenten wie das Tunnelprofil, das Zahnstangensystem, die Fahrzeuge mitsamt den nötigen Sicherheitstechniken sowie die Ausgestaltung der Galeriestationen verlangen nach neuen, auf die außerordentlichen Gegebenheiten zugeschnittenen Lösungen. Das Gleiche gilt für eine sichere und effiziente Bauausführung. Etwas war für Guyer-Zeller klar: Die Lokomotiven sollen elektrisch angetrieben werden. Das geringere Gewicht und die rauchfreie Fahrt sprechen auf der steilen und langen Tunnelstrecke für diese Energieform, die auch ein geringeres Tunnelprofil erlaubt. Sie ist jedoch im Eisenbahnbereich noch selten. Immerhin stellt am Mont Salève bei Genf seit 1893 die weltweit erste elektrische Zahnradbahn ihre Bergtauglichkeit unter Beweis. Sie dient der Jungfraubahn «im großen und ganzen als Vorbild», wie Guyer-Zeller schreibt. Es entspricht seinem Ehrgeiz und dem Glauben an den Fortschritt, dass er nach Verbesserungen sucht: «Wir wollen hoffen, dass zufolge der Preisausschreibung der Erfindergeist unserer Techniker neue Blüten treibe und das Resultat des Wettbewerbs in neuen Konstruktionen und Verbesserungen bestehe.»

Am 27. Juni 1896 beginnen die Bauarbeiten auf der größtenteils offenen, zwei Kilometer langen ersten Teilstrecke zwischen der Kleinen Scheidegg und der Station Eigergletscher (2320 m). Hier, an der Westflanke des Eigers, ist das Tunnelportal geplant. Der Ort wird zum logistischen Mittel-

operational issues with an internationally published competition. In this regard, the Jungfrau Railway was a pioneering project. There were no off-the-shelf solutions. Such basic elements as the tunnel profile, cogwheel system and rolling stock together with the necessary safety technologies and configuration of the gallery stations demanded innovative solutions specifically tailored to the exceptional conditions. The same applied to safe and efficient construction. For Guyer-Zeller, one thing was clear: the locomotives should be powered by electricity. A lower weight and smoke-free journey on the long and steep tunnel section spoke in favour of this form of energy, which also allowed a smaller tunnel profile. It was however rarely found in the area of rail transport. Nevertheless, the world's first electrically powered cogwheel railway had been proving its mountain climbing credentials on Mont Salève near Geneva since 1893. Guyer-Zeller wrote that «generally speaking this acted as a model» for the Jungfrau Railway. Totally in keeping with his ambition and belief in progress, he sought improvement: «We must hope that the competition will lead to the inventive talents of our technicians flowering anew and that the competition will result in new construction methods and improvements.»

Construction on the 2-kilometer-long first section over the mainly open ground between Kleine Scheidegg and the Eigergletscher station (2320 m) began on 27th June 1896. The tunnel entrance was planned here on the west flank of the Eiger. The location became the logistical hub for the construc-tion of the railway, the base camp that was home to up to 300 persons in summer. Most of the miners came from northern Italy, the engineers and tradesmen – mechanics, blacksmiths and metalworkers – from Switzerland. The accommodation for the labourers and engineers was positioned above the moraine of the Eiger Glacier, which, at that time, was still close by and extremely impressive. The row of buildings was added to by a simple station building together with a restaurant from which the Jungfrau summit could be seen high above, as well as a solidly built workshop. Photographs document the simplicity of

Für den Bau der offenen Strecke und des Tunnels war viel Handarbeit nötig. Mastentransport bei Fallboden im Jahr 1897.

An enormous amount of manual labour was required for construction of the open and tunnel sections. Transporting a mast at Fallboden in 1897.

Adolf Guyer-Zeller (ganz rechts) lässt sich mit seiner Familie und einigen Bauarbeitern beim Portal des kleinen Tunnels zwischen der Kleinen Scheidegg und dem Eigergletscher fotografieren.

Rechte Seite: Ganze Kolonnen von Lastenträgern versorgten beim Baubeginn die Baustelle mit dem nötigen Material und die Beschäftigten mit Lebensmitteln (oben). Auf der untersten Strecke, zwischen der Kleinen Scheidegg und der Station Eigergletscher, musste ein hoher Bahndamm aufgeschüttet werden (unten).

Adolf Guyer-Zeller (far right) photographed with his family and several workers at the entrance to the small tunnel between Kleine Scheidegg and Eigergletscher.

Page right: At the start of construction, whole columns of porters carried materials needed for construction and provisions for the workers up to the site (above). A high embankment had to be built on the section between Kleine Scheidegg and the Eigergletscher station (bottom).

punkt für den Bau der Bahn, zum Basislager, in dem im Sommer bis zu 300 Personen leben. Die Mineure stammen zum größten Teil aus Norditalien, die Ingenieure und Handwerker – Mechaniker, Schmiede und Schlosser – aus der Schweiz. Die Unterkünfte für die Arbeiter und die Ingenieure kommen über der Moräne des damals noch sehr mächtigen und nahen Eigergletschers zu stehen. Ein einfaches Stationsgebäude samt einem Restaurant, von dem aus hoch oben der Gipfel der Jungfrau zu sehen ist, sowie ein solides Werkstattgebäude ergänzen die Gebäudereihe. Fotografien dokumentieren, mit welch einfachen Mitteln die Arbeiter ans Werk gehen. Sie tragen das Gelände mit Pickeln und Schaufeln ab. Kolonnen von Maultieren und Pferden sorgen für den Nachschub an Material und Lebensmitteln. Jeweils acht Arbeiter tragen die Strommasten auf ihren Schultern. Bauarbeit ist noch größtenteils Handarbeit ohne mechanische Hilfsmittel. Auf einigen Bildern posiert

the tools used by the workforce. The men had to clear the terrain with picks and shovels. Materials and provisions were replenished using columns of mules and horses. Teams of eight labourers carried electricity pylons on their shoulders. Construction was for the most part manual labour, without any mechanical aids. Guyer-Zeller also poses in some pictures: a tall, self-confident man with a drooping moustache, his gaze always to the front and surrounded by his family, the engineer and toiler appears rather isolated.

Conditions at this altitude were tough but according to reports at the time, the building site was well organized. At the end of the work in 1912, an Italian capo (foreman) told the «Bund» newspaper, which had published numerous reports on building progress, that «all workers were generally very content, molto contenti.» Thanks to «all kinds of healthcare measures», the health of the workforce was good. Wages were also quite high. «As

Bei der Station Eigergletscher unterhalb des Tunneleingangs befand sich das «Basislager» für den Tunnelbau. Die Unterkunft für die Bauarbeiter (oben). Die Gebäude vor der Kulisse des Kleinen Eigers und des Mönchs, im Vordergrund das Magazin (Mitte), weiter oben stand das «Beamtenhaus», in dem auch die Handwerker wohnten (unten).

Rechte Seite: Fototermin am Eigergletscher mit den italienischen Arbeitern, die mit Pickel und Schaufel das Terrain für die Gleise bereiteten.

The «base camp» for tunnel construction was sited below the tunnel entrance at Eigergletscher station. Accommodation for workers (top). The building before the backdrop of the Klein Eiger and the Mönch, in the foreground the storage shed (middle), further up the «Beamtenhaus», where the tradesmen lived (bottom).

Page right: Photo shoot at Eigergletscher with the Italian workers, who prepared the ground for the tracks with picks and shovels.

Im Jahr 1998 besuchte Adolf Guyer-Zeller (ganz rechts) die Baustelle am Eigergletscher in Begleitung seiner Familie.

Rechte Seite: Der Rotstock überragt die Baustelle und den Tunneleingang am Eigergletscher (oben). Die Anlagen der Bahn auf der Kleinen Scheidegg mit dem Grand Hotel (unten). Zeitgenössische Fotochrom-Aufnahmen.

Adolf Guyer-Zeller (far right) visited the construction site at Eigergletscher with his family in 1998.

Page right: The Rotstock towers over the construction site and the tunnel entrance on Eigergletscher (above). Railway complex on Kleine Scheidegg with the Grand Hotel (bottom). Contemporary photochromatic records.

auch Guyer-Zeller: ein großer, selbstbewusster Mann mit einem hängenden Schnauz, der den Blick immer nach vorne richtet und inmitten seiner Familie, der Ingenieure und Arbeiter etwas isoliert wirkt.

Die Bedingungen in dieser Höhe sind hart, aber die Baustelle ist laut zeitgenössischen Berichten gut organisiert. «Im allgemeinen waren die Arbeiter sehr zufrieden, molto contenti», wird 1912, am Ende der Arbeiten, ein italienischer Capo, ein Vorarbeiter, gegenüber der Zeitung «Bund» erklären, die in zahlreichen Beiträgen über den Baufortschritt berichtet. Dank «Fürsorgemaßregeln aller Art» sei der Gesundheitszustand der Arbeiterschaft gut, und die Löhne seien ziemlich hoch. «Da in dieser Wildnis die Gelegenheit zum Geldausgeben fehlt, können die meisten schöne Ersparnisse machen.» Dieses Bild ist allerdings geschönt. Insgesamt sechs Mal treten Arbeiter in Streik. Die

opportunities to spend money were lacking in this wilderness, most were able to make substantial savings». However, this picture glosses over the facts. The workers went out on strike no fewer than six times. Sunday working, low wages and poor food led to resentment. The construction management also threatened to use firearms to restore order.

Track-laying at first progressed according to plan. In contrast, the first two Rowan trains with their characteristic timber cladding were delivered almost twelve months late. The Jungfrau Railway began scheduled services on the first section on 20th September 1898. On the previous day, Guyer-Zeller laid on a pomp-filled opening ceremony. He invited 450 VIP guests to Kleine Scheidegg and the Eigergletscher station, where a festival especially designed for the occasion was staged. The patron telegraphed his engineers from Zurich, ordering them «to appear in black frock-coats and top hats.»

Rechte Seite: Eine frühe Fotochrom-Ansicht der Station Eigergletscher (oben). Einer der ersten Züge verkehrt zwischen der Kleinen Scheidegg und der Station Eigergletscher (unten).

Page right: An early photochromatic view of the Eigergletscher station (above). One of the first trains travelling between the Kleine Scheidegg and Eigergletscher stations (bottom).

Von der provisorischen Station Rotstock führte ein gesicherter Aufstieg zum Rotstock. Das Bild zeigt eine Reisegruppe kurz nach der Eröffnung der Station im Jahre 1899 (links). Am 19. September 1998 fand eine pompöse Eröffnungsfeier für die erste Teilstrecke der Jungfraubahn statt: Einladungskarte zum «Triomphaler Festzug» (rechts).

A secured climb led from the temporary Rotstock station to the Rotstock. The picture shows a group of travellers shortly after the opening of the station in 1899 (links). A grandiose ceremony was held on 19th September 1998 to mark the opening of the first section of the Jungfrau Railway: invitation to the «Triomphalen Festzug» (triumphal parade) (right).

Sonntagsarbeit, zu niedrige Prämien oder mangelhafte Ernährung sorgen für Unmut. Die Bauleitung droht auch mit dem Einsatz von Schusswaffen, um die Disziplin wiederherzustellen.

Der Gleisbau kommt zunächst planmäßig voran. Die zwei ersten Rowan-Züge mit der typischen Holzverkleidung werden hingegen mit fast einem Jahr Verspätung ausgeliefert. Am 20. September 1898 nimmt die Jungfraubahn ihren fahrplanmäßigen Betrieb auf der ersten Teilstrecke auf. Am Vortag lässt Guyer-Zeller mit beträchtlichem Pomp eine Eröffnungsfeier ausrichten. Er lädt 450 Gäste von Rang und Namen auf die Kleine Scheidegg und zur Station Eigergletscher, wo ein eigens für diesen Anlass gedichtetes Festspiel aufgeführt wird. Seinen Ingenieuren befiehlt der Patron per Telegraf aus Zürich, sie müssten «im schwarzen Gehrock und Zylinder erscheinen». Er kümmert sich auch um die Details seiner vielen Projekte. Die Belastung ist groß – offenbar zu groß. Adolf Guyer-Zeller ist erst knapp sechzig Jahre alt, als er am 3. April 1899 an einem Herzversagen stirbt.

Sein Tod stellt den weiteren Bau der Jungfraubahn infrage. Nach einem kurzen Unterbruch entscheiden seine zwei Söhne Johann Rudolf und Adolf Gebhard aber, das angefangene Werk zu

He also looked after the details of his many projects. The burden was great – apparently too great. Adolf Guyer-Zeller died of a heart attack on 3rd April 1899, at nearly sixty years of age.

His death put into question the continued construction of the Jungfrau Railway. After a short break, however, his two sons, Johann Rudolf and Adolf Gebhard, decided to complete the task. While the first tourists were enjoying the trip to the Eigergletscher, the miners had already driven the tunnel several hundred metres into the mountain.

At the celebrations on Kleine Scheidegg, Guyer-Zeller had promised completion of the railway by 1904. However, it now became increasingly clear that this would be delayed. The new hydroelectric power station in Lauterbrunnen played a role in this. The power station was intended to supply electricity for the locomotives as well as for drilling machines for the blast holes but its capacity was insufficient. Frequent power failures delayed the progress of construction equally as much as logistical problems and the unexpectedly hard quartzite that the miners came up against in 1902. These problems led to several changes of site manager as well as of the company handling the work. The miners first penetrated through to the Eigerwand sta-

RESTAURANT

Die Jungfraubahn wurde rasch zu einer international bekannten Touristenattraktion. Kolorierte Postkarten und ein Prospekt aus dem Jahr 1911 zeigen die Attraktionen, die sie erschließt.

The Jungfrau Railway rapidly became an internationally renowned tourist attraction. Coloured postcards and a brochure from 1911 showing the attractions that it accesses.

UNGFRAUBAHN
SCHWEIZ
EIGERWAND 2867 M.
GRAPH. ANSTALT J.E. WOLFENSBERGER ZÜRICH

Glacier de l'Eiger Eigergletscher
429 Phototypie Co., Neuchâtel

Eiger 3975 m
Jungfraubahn, Eigergletscher
Mönch 4105 m
Eigergletscher
2330 m

Adolf Guyer-Zeller posiert 1897 stolz in einem montagebereiten Druckrohr des Kraftwerks Lauterbrunnen. Es liefert den Strom für den Bau und den Betrieb seiner Bahn.

Rechte Seite: Ein Zug verschwindet um 1900 oberhalb der Station Eigergletscher im 7,1 km langen Tunnel.

Adolf Guyer-Zeller posing proudly in a ready-to-install pressure pipe for the Lauterbrunnen power station in 1987. The station supplied electricity for the construction and operation of the railway.

Page right: A train disappearing into the 7.1 kilometre tunnel above the Eigergletscher station in 1900.

vollenden. Während die ersten Touristen die Fahrt zum Eigergletscher genießen, haben die Mineure den Tunnel bereits mehrere Hundert Meter in den Berg vorgetrieben.

An der Feier auf der Kleinen Scheidegg hat Guyer-Zeller die Vollendung auf das Jahr 1904 versprochen. Jetzt zeichnet sich immer deutlicher ab, dass es zu Verzögerungen kommen wird. Eine Rolle spielt das neue Wasserkraftwerk in Lauterbrunnen, das den Strom sowohl für die Lokomotiven wie für die Bohrmaschinen liefert, die die Sprenglöcher ausbrechen. Seine Leistung reicht nicht aus. Häufige Stromausfälle verzögern den Baufortschritt ebenso wie logistische Probleme und unerwartet hartes Quarzitgestein, auf das die Mineure 1902 stoßen. Die Probleme führen dazu, dass mehrmals sowohl der Bauleiter wie auch die ausführende Firma ausgewechselt werden. So durchschlagen die Bergarbeiter die Station Eigerwand erst Ende 1902. Es dauert noch einmal

tion at the end of 1902. It was to take a further two and a half years – to July 1905 – before the Jungfrau Railway opened the Eismeer station. Until the railway was finally completed, a tourist centre was sited in this underground cavern, at 3160 metres above sea level and with views of the glacier and summits on the Eiger south face. Before work could continue, it was necessary for the company to procure new funds. In December 1905, all workers and engineers were dismissed. To save money, it was decided to continue building the tunnel directly up to the Jungfraujoch with a steady gradient and do without the Mönchsjoch station, which would have required an expensive «hump» in the height profile.

This section was also marked by interruptions and financial difficulties, the result of the enormous obstacles that had to be overcome to accomplish such pioneering work. The builders were also not immune from accident. The most spectacular occurred on 15th November 1908, a Sunday, when for

Die Arbeit im Tunnel war hart und anspruchsvoll. Die Bohrmaschinen zum Bohren der Sprenglöcher wurden mit Druckluft aus dicken Schläuchen angetrieben. Auf dem ersten Bild ist Gebhard Guyer (mit dunkler Brille), der Sohn von Adolf Guyer-Zeller, zu Besuch auf der Baustelle im Mönchstollen.

Rechte Seite: Ausbauarbeiten an der Station Eismeer. Sie wird 1905 eröffnet und dient bis zur Fertigstellung der Bahn als Touristenzentrum (oben). Die Arbeiter fuhren in Bauzügen ab der Station Eismeer zu ihren Schichten (unten).

Work in the tunnel was tough and challenging. The drills to bore the holes for explosives were driven by compressed air supplied through thick hoses. The first picture shows Adolf Guyer-Zeller's son Gebhard (with sunglasses) visiting the construction site at the Mönchstollen.

Page right: Building work at the Eismeer station. It was opened in 1905 and served as a tourism centre until completion of the railway (above). Workers travelled in trains from the Eismeer station to start their shifts (bottom).

JB

Von der 1903 eröffneten Station Eigerwand aus bot sich den Touristen ein atemberaubender Ausblick in die Tiefe und auf Grindelwald. In den kavernenartigen Räumen war eine einfache und eher kühle Gaststätte eingerichtet.

The Eigerwand station, opened in 1903, afforded tourists breathtaking views into the depths and down to Grindelwald. The cavern-like areas were fitted out as simple and rather cool restaurants.

zweieinhalb Jahre bis – im Juli 1905 – die Jungfraubahn die Station Eismeer eröffnet. In den unterirdischen Hallen auf 3160 Meter Höhe, mit Blick auf die Gletscher und Gipfel auf der Südseite des Eigers, wird bis zur Fertigstellung der Bahn ein Touristenzentrum betrieben. Bevor es weitergeht, muss das Unternehmen neues Geld beschaffen. Es entlässt im Dezember 1905 alle Arbeiter und Ingenieure. Aus Spargründen beschließt es, den Tunnelbau mit gleichmäßiger Steigung direkt aufs Jungfraujoch fortzusetzen und auf die Station Mönchsjoch zu verzichten, die einen teuren «Buckel» im Höhenprofil erfordert hätte.

Auch auf diesem Abschnitt kommt es zu Unterbrüchen und finanziellen Engpässen. Sie sind eine Folge der enormen Schwierigkeiten, die es zu überwinden gilt, um ein solches Pionierwerk zu realisieren. Die Bauleute bleiben von Unfällen nicht verschont. Der spektakulärste ereignet sich am 15. November 1908, einem Sonntag, als das im Berg zwischen der Station Eigerwand und Eismeer

reasons unknown the main dynamite store located inside the mountain between the Eigerwand and Eismeer stations suddenly blew up. The store had been stocked up in view of the coming winter. «The blast was so immense that in the first instance, people in the whole of the Bernese Oberland thought of an earthquake,» reported the correspondent of the «Bund» newspaper. The main force of the detonation escaped through an opening blasted in the wall of the Eiger. Fortunately, there were no miners in the vicinity and the only casualties were materials and property. However, the outcome of other accidents was not always so fortunate. The construction of the Jungfrau Railway cost a total of thirty human lives. In addition to tragic blasting accidents, the number of victims was also increased by careless handling of heavy-current electrical equipment. The risks arising from this new, invisible form of energy were underestimated.

Despite all these difficulties, at 5.35 on the morning of 21st February 1912, the miners succee-

Die Station Eismeer auf der Südseite des Eigers war während rund sieben Jahren die Endstation der Bahn auf 3160 m ü. M. Ein Restaurant empfing die Gäste im Bergesinnern, es gab ein kleines Postbüro zum Verschicken der Ansichtskarten. Während die Züge im Inneren des Berges hielten (unten), erlaubte ein Ausgang den Passagieren fortan den direkten Zugang über halsbrecherische Stege zum Gletschererlebnis auf dem Eismeer (rechte Seite).

The Eismeer station, at 3160 metres altitude on the south side of the Eiger, was the railway terminus for around 7 years. A restaurant welcomed guests inside the mountain. The station housed a small post office for sending picture postcards. While trains stopped inside the mountain (bottom), an exit allowed passengers direct access to a perilous walkway and a glacier experience on the Eismeer (page right).

Der Durchschlag zur Station Jungfraujoch erfolgte am 21. Februar 1912. Er machte schon damals international Schlagzeilen in Zeitungen und Zeitschriften. Titelbild in einer deutschen Illustrierten aus dem Jahr 1912.

The breakthrough to the Jungfraujoch station took place on 21st February 1912. Even then, it made headlines in international newspapers and magazines. Cover picture from a German illustrated magazine from 1912.

angelegte Hauptlager für Dynamit aus unbekannten Gründen explodiert. Es ist im Hinblick auf den bevorstehenden Winter aufgefüllt worden. «Die Erschütterung war so ungeheuer, dass man im ganzen Oberland im ersten Moment an ein Erdbeben dachte», berichtet der Korrespondent des «Bund». Die Hauptkraft der Detonation entweicht durch ein Loch in der geborstenen Eigerwand. Glücklicherweise befinden sich keine Mineure in der Nähe, sodass es beim Materialschaden bleibt. So glimpflich geht es nicht immer aus. Der Bau der Jungfraubahn fordert dreißig Menschenleben. Nebst tragischen Sprengunfällen erhöht auch der unvorsichtige Umgang mit den Starkstromaggregaten die Opferzahl. Man unterschätzt die Gefahren, die von dieser unsichtbaren neuen Energie ausgehen.

Allen Widrigkeiten zum Trotz schaffen die Mineure am 21. Februar 1912 morgens um 5.35 Uhr den Durchschlag in die Station Jungfraujoch: einen Tag früher als vorgesehen. Der italienische Vorarbeiter Glacelli hat laut einem Zeitungsbericht «bei der letzten Sprengung eine wahnsinnige Ladung Dynamit verwendet, so dass die Decke des Tunnels ins Freie nach dem Jungfraujoch hinausgeschleudert wurde». Als einer der Ersten klettert ein Berichterstatter des «Bund» durch die Öffnung des 7,1 Kilometer langen Tunnels hinaus auf das Jungfraujoch, wo ihn «ein blauweißes, wunderbares Licht» überwältigt. «Die Aussicht ist bei weitem großartiger und umfassender als vom Eismeer.» 1200 Meter weiter unten, am Eigergletscher bei den Arbeiterunterkünften, verkünden Böllerschüsse das frohe Ereignis.

Schon am 1. August 1912, dem Nationalfeiertag, wird das letzte Teilstück dem Verkehr übergeben. Das Jungfraujoch bildet die Endstation der 9,3 Kilometer langen Jungfraubahn, die einen Höhenunterschied von 1393 Metern überwindet. Für eine Fortsetzung auf den Gipfel fehlen die Geldmittel und wohl auch die Energie. Immerhin hat der Bau 16 Jahre gedauert und fast 15 Millionen Franken gekostet. Zwei Jahre später bricht der Erste Weltkrieg aus und bringt die Touristen-

Das neue Bild

No. 9 1912. Erste Illustrierte Zeitschrift in Rotations-Kupferdruck. Einzelnummer 10 Pfg.

Der Tunneldurchschlag am Jungfrau-Joch: 10 Meter vor dem Ziel.

ded in penetrating through to the Jungfraujoch station, one day earlier than anticipated. According to a newspaper report, Italian foreman Glacelli «used a gigantic charge of dynamite for the last blast, so that the roof of the tunnel was catapulted out into the open air on the Jungfraujoch.» A reporter from the «Bund» was one of the first to climb through the opening in the 7.1 km tunnel onto the Jungfraujoch, where he was overwhelmed by «a wonderful, blue-white light. The view is far more splendid and extensive than from the Eismeer.» 1200 metres lower down, at the workers lodgings on Eigergletscher, a gun salute announced the joyful event.

On 1st August 1912, Swiss National Day, the last section was opened to traffic. The Jungfraujoch formed the terminus of the 9.3 km Jungfrau Railway, which mastered a height difference of 1393 metres. Funds and probably also the energy to continue the railway to the summit were lacking. After all, construction had taken 16 years and cost almost 15 million Swiss francs. Two years later, the First World War broke out and the flow of tourists dried

Auch die Station Jungfrau ist im Berg angelegt. Mit einer Höhe von 3454 m ü. M. ist sie die höchste Bahnstationen Europas – und eine der weltweit bekanntesten.

The Jungfrau station is also located inside the mountain. At 3454 metres above sea level, it is Europe's highest-altitude railway station – and one of the most famous in the whole world.

ströme zum Versiegen. Bald erweist sich das Jungfraujoch, mit der bis heute höchsten Bahnstation Europas auf 3454 m ü. M. jedoch als ein äußerst zugkräftiges Ziel. Es wird zu einer der bekanntesten touristischen Attraktionen der Schweiz.

In der Bahnstation erinnert eine Gedenktafel an Adolf Guyer-Zeller, den «Schöpfer der Jungfraubahn». An der Vollendung seiner Idee haben allerdings zahlreiche andere Menschen mitgearbeitet, die heute vergessen sind.

up. However, the Jungfraujoch, which still boasts Europe's highest-altitude railway station at 3454 metres above sea level, soon proved an extremely attractive destination and has become one of Switzerland's most famous tourist attractions.

In the station is a plaque in memory of Adolf Guyer-Zeller, the «creator of the Jungfrau Railway». However, many other people also assisted in the accomplishment of his vision. They are now forgotten.

Die Jungfraubahn

The Jungfrau Railway

Text: Beat Moser

Drehscheibe Kleine Scheidegg

Kleine Scheidegg: The Hub

Frühmorgens bei Sonnenaufgang auf der Kleinen Scheidegg werden die ersten Züge für Versorgungs- und Personaltransporte aufs Jungfraujoch bereitgestellt. Bald schon treffen die ersten Gäste ein.

Vorangehende Doppelseite: Von insgesamt 9336 m Streckenlänge fährt die Jungfraubahn nur 1775 m im Freien.

Early morning sunrise on Kleine Scheidegg; the first trains are being prepared for supplies and personnel transport to the Jungfraujoch. The first guests will soon arrive.

Previous double page: The Jungfrau Railway travels only 1775 metres of its total length of 9336 metres in the open.

Die Kleine Scheidegg am Fuß der Eiger-Nordwand fungiert als Wasserscheide zwischen den beiden Lütschinentälern. Sie ist eine wichtige Drehscheibe des touristischen Verkehrs und eine leistungsfähige Logistik-Plattform zur Versorgung der Betriebe auf dem Jungfraujoch. Hier kommen jedes Jahr rund 1,5 Millionen Ausflugsgäste aus aller Welt vorbei und legen bei jedem Wetter großen Wert auf eine zeitgemäße und zuverlässige Infrastruktur.

Bei der Ankunft der von Lauterbrunnen und Grindelwald kommenden Züge strömen die meisten Gäste zum Bahnsteig der Jungfraubahn (JB). Das Bahnhofgebäude mit der Mountain Lodge, einer Herberge mit hundert Betten, trennt die beiden Gleisanlagen, die über unterschiedliche Spurweiten und Fahrleitungsspannungen verfügen. Während die Wengernalpbahn auf 800 Millimetern-Gleisen und mit 1500 Volt Gleichstrom fährt, verkehrt die JB mit 1125 Volt Drehstrom und 50 Hertz auf Schienen der Meterspur.

Kleine Scheidegg at the foot of the Eiger North Wall is the watershed between the two Lütschinen valleys. A key hub for tourist traffic, it is also an efficient logistical platform for supplying operations on the Jungfraujoch. Some 1.5 million excursion guests from all over the world pass through here each and every year and set great store on modern and reliable facilities in all kinds of weather.

Most passengers arriving by train from Lauterbrunnen and Grindelwald head straight for the platform of the Jungfrau Railway (JB).

The station building with the Mountain Lodge, a hostel with 100 beds, separates the two railway tracks, which have different gauges and catenary line voltages.

While the Wengernalp Railway travels on 800-millimetre gauge tracks with 1500 volt direct current, the JB travels on one metre gauge tracks with 1125 volt three-phase current and 50 hertz.

It's well worth spending time on Kleine Scheidegg. The open views of the stunning summits and

Es empfiehlt sich, auf der Kleinen Scheidegg eine kurze Rast einzulegen. Der freie Blick auf die zauberhaften Berggipfel und Gletschermassen lockt an die Tische der Sonnenterrassen, wo der internationalen Kundschaft die gewünschten Verpflegungsmöglichkeiten angeboten werden. Dabei lässt sich der pulsierende Betrieb beobachten. Das Ein- und Ausfahren der verschiedenfarbigen Züge der WAB und der JB, der Warenumlad, das Zuweisen der reservierten Gruppen-Sitzplätze, die Information der Fahrgäste und das Suchen von tollen Fotosujets lassen keine Langeweile aufkommen.

Nicht alle Gäste haben das Jungfraujoch zu ihrem Ausflugsziel erkoren. Viele Leute streben zu den ausgeschilderten Wanderwegen. Es gibt eine Menge unterschiedlicher Routen, die sich für Personen jeden Alters und jeder Kondition eignen. Als Neuheit gilt der Jungfrau-Eiger-Walk, der zum Thema «Triumph und Tragödie an der Eiger-Nordwand» informativ beschilderte Erlebnisweg zwischen der Kleinen Scheidegg und dem Eigergletscher. Speziell erwähnenswert ist auch der Lauberhorn-Trail (Kleine Scheidegg–Lauberhorn-Abfahrtstrecke–Wengernalp–Wengen) oder die Höhenwanderung zum Männlichen.

Die Kleine Scheidegg ist im September jeweils das Ziel des in Interlaken gestarteten Jungfrau-Marathons. Bei diesem über Lauterbrunnen und Wengen führenden Berglauf erklimmen die schnellsten der rund 4000 Läuferinnen und Läufer die 1829 Meter Höhendifferenz innert gut drei Stunden.

Nicht mehr wegzudenken ist auch das winterliche Musik-Event SnowpenAir im April, wo bekannte Stars mit ausgewogenen Unterhaltungsprogrammen vor faszinierender Bergkulisse für Begeisterung sorgen. Für Ausstattung und Technik dieses international einzigartigen Anlasses schafft die Zahnradbahn jeweils über 150 Tonnen Material von Grindelwald Grund zur Kleinen Scheidegg hoch.

Viel Abwechslung bietet den Schneesportlern das Skigebiet Kleine Scheidegg und Männlichen mit neunzehn modernen Transportanlagen und 110 Kilometern bestens präparierter Pisten.

glaciers make it a tempting proposition to sit at one of the tables on the sunny terrace, where an international clientele has a choice of catering options. There's plenty to watch. Any hint of boredom is banished by the arrival and departure of WAB and JB trains with their different colours, goods being reloaded, the allocation of reserved group seats, passenger information and the search for superb photo subjects.

But not all guests choose the Jungfraujoch as their excursion destination. Many make their way to the marked hiking paths. There is a wide choice of routes to suit all ages and every degree of fitness. One new attraction is the Jungfrau Eiger Walk on the theme of triumphs and tragedies on the Eiger North Wall. The experience trail with informative panels leads from Kleine Scheidegg up to the Eigergletscher. Also especially worthy of mention are the Lauberhorn Trail (Kleine Scheidegg–Lauberhorn-route of the downhill ski race–Wengernalp–Wengen) and the high-altitude panorama path to Männlichen.

In September, Kleine Scheidegg is the finishing point of the Jungfrau Marathon, which starts in Interlaken. This mountain run leads up via Lauterbrunnen and Wengen, and the fastest of the around 4000 competitors master the 1829-metre height difference in about three hours.

April's SnowpenAir concert is another firm fixture, a music spectacular in snow where popular stars delight audiences with well-balanced entertainment programmes in a fabulous Alpine setting. The over 150 tons of material and technological equipment needed to stage this unique international event is carried up from Grindelwald Grund to Kleine Scheidegg by cogwheel railway.

The Kleine Scheidegg and Männlichen ski region offers snowsport fans plenty of variety, with 19 modern transport facilities and 110 kilometres of well-prepared pistes.

Friends of nostalgic mountain hotels should be sure to spend a night on Kleine Scheidegg. Two hotels were built in their present size in 1893 and 1896 and later linked by a hall. Open in both summer and

Ein Triebwagenzug der Jungfraubahn zeigt sich im Gebiet Fallboden vor der Kulisse des mit Schnee und Eis bedeckten Mönchs.

A railcar of the Jungfrau Railway in the Fallboden area, before the backdrop of the snow and ice-clad Mönch.

Die Freunde der nostalgischen Berghotellerie sollten in den Scheidegg-Hotels übernachten. Die beiden Gebäude wurden 1893 und 1896 in der heutigen Größe errichtet und später durch einen Saalbau miteinander verbunden. Das im Sommer und Winter geöffnete Hotel Bellevue des Alpes mit seinen hundert Betten präsentiert sich in historisch gediegener Ausstattung und bietet auch kulinarische Genüsse.

Im Bahnhofgebäude auf der Kleinen Scheidegg sind die Bahnbetriebszentralen der JB und der WAB mit Büroräumen und Kundenschalter eingerichtet. Hier erwartet auch das ganzjährig geöffnete Bahnhofbuffet mit einem im Obergeschoss untergebrachten Massenlager die hungrigen und müden Gäste.

Eisenbahninteressierte sollten ihre Aufmerksamkeit einer besonderen Anlage widmen. Die Betriebsvorschriften der Wengernalpbahn verlangen, dass die Antriebsachsen der Züge immer talseitig arbeiten. Um die Zuggarnituren speziell an Hochfrequenztagen möglichst flexibel auf den beiden Rampenstrecken von und nach Lauterbrunnen und Grindelwald einzusetzen, müssen sie auf der Kleinen Scheidegg gewendet werden können. Diesem Zweck dient eine Spitzkehre, die 1948 aus Platz- und Witterungsgründen unterirdisch im Fels angelegt wurde. Die beiden Einfahrten zu diesem fast hundert Meter langen Gleisstück sind nördlich des Bahnhofgebäudes zu sehen.

Eine modern eingerichtete Depothalle und eine Remise schützen die Bergbahnzüge der Jungfraubahn vor der Witterung und bieten auch Raum für Instandhaltung, Reinigung und Reparaturen. Die Eisenbahn-Werkstätte für die umfangreicheren Arbeiten befindet sich bei der Station Eigergletscher.

winter, the Hotel Bellevue des Alpes has 100 beds, an elegant, historic interior and choice cuisine.

The station building on Kleine Scheidegg houses the JB and WAB control centres for railway operations, with offices and ticket counters. In the same building, the Bahnhofbuffet restaurant with a first floor dormitory also waits to welcome hungry and tired guests. This facility is also open all year round.

Railway enthusiasts should make sure not to miss a very special feature. Wengernalp Railway operating regulations require the driving axles of the trains to always be placed on the downhill side. The train compositions must be turned on Kleine Scheidegg to allow maximum flexibility of use on the two inclined tracks from and to Lauterbrunnen and Grindelwald, especially on days of peak frequency. A setting-back track was installed for this purpose in 1948, built underground in the rock for reasons of space and weather. The two entrances to this almost 100-metre section of track can be seen to the north of the station building.

A modern depot building and a train shed protect the Jungfrau Railway trains from the weather and also provide room for maintenance, cleaning and repair work. The railway workshop for more extensive work is sited at the Eigergletscher station.

205
205
JUNGFRAUBAHN
JUNGFRAUBAHN

1
218

Vorangehende Doppelseite: Touristen aus aller Welt drängen auf der Kleinen Scheidegg in die Züge der Jungfraubahn.

Previous double page: Tourists from all over the world surge to board the train to the Jungfraujoch on Kleine Scheidegg.

Vielseitiges Wanderparadies Kleine Scheidegg: Rast mit Blick zum Eiger. Vom Aussichtspunkt auf der Kleinen Scheidegg kann man die Aktivitäten der Bergsteiger in der Eiger-Nordwand gut beobachten (oben).
Die Läuferinnen und Läufer des Jungfrau-Marathons nähern sich müde dem Ziel auf der Kleinen Scheidegg, von den Kühen werden sie interessiert beobachtet (unten).

Kleine Scheidegg, a varied paradise for hikers: a rest stop with views of the Eiger. The exploits of climbers on the Eiger North Wall can be followed from the vantage point on Kleine Scheidegg (above). Weary Jungfrau Marathon runners on their way to the finish on Kleine Scheidegg, watched with some interest by cows (bottom).

Vorangehende Doppelseite: Nach einem langen Winter folgt der zauberhafte Frühling mit seiner Blütenpracht, im Hintergrund Jungfrau und Silberhorn.

Beim alljährlichen SnowpenAir sorgen auf der hochalpinen Freiluftbühne der Kleinen Scheidegg weltbekannte Interpreten wie Bryan Adams, Reamonn-Star, Joe Cocker (links) und Hansi Hinterseer (unten) für Begeisterung.

Folgende Doppelseite: Morgendliches Nebelspiel vor prächtiger Gipfelkulisse.

Previous double page: Spring magic with bright flowers after a long winter, the Jungfrau and Silberhorn in the background.

World-famous artists including Bryan Adams, Reamonn-Star, Joe Cocker (left) and Hansi Hinterseer (bottom) have all guaranteed a great time at the annual SnowpenAir concert on the high-Alpine open-air stage on Kleine Scheidegg.

Following double page: Early morning mist drifts across the backdrop of stunning peaks.

SnowpenAir Kleine Scheidegg
JUNGFRAU
EIGER SONNE
rivella
swisscom
compost it

Ungewöhnliche Wolkenstimmung: Die Jungfraubahn rollt durch die frisch verschneite Landschaft.

Rechte Seite: Das Gebäude der Sphinx thront über den Fels- und Eishängen des Guggigletschers.

Folgende Doppelseite: Die Gastbetriebe auf der Kleinen Scheidegg laden ein zur Verpflegung an der Wintersonne, im Hintergrund Hotel Bellevue des Alpes.

Unusual cloud formations: the Jungfrau Railway rolls through a landscape blanketed in fresh snow.

Page right: The Sphinx enthroned above the cliffs and icy precipices of the Guggi Glacier.

Following double page: Kleine Scheidegg, an inviting spot to refuel in the winter sun, with Hotel Bellevue des Alpes in the background.

VALSER
DESALPES

217
217
Wengen
Wengernalp
Wixi

Nach dem Skivergnügen auf perfekt präparierten Pisten lockt ein Sonnenbad auf Liegestühlen mit grandiosem Ausblick.

Rechte Seite: Symbiose von Gleisen, Zahnstangen und Fahrleitung am Bahnsteig der Kleinen Scheidegg.

After ski fun on perfectly prepared pistes, sunbathing in a deckchair enjoying the spectacular view is sheer bliss.

Page right: Symbiosis of tracks, racks and catenary lines at Kleine Scheidegg station.

Winterarbeit bei der Jungfraubahn: Fahrbetrieb und Schneeräumung in eisiger Kälte sowie Kleinunterhalt in der geheizten Depothalle und Fahrzeugremise.

Vorangehende Doppelseite: Das Skiparadies der Kleinen Scheidegg lockt mit seinem berühmten Gipfelkranz zu sportlichen Abenteuern.

Winter work on the Jungfrau Railway: services and snow-clearance in the icy cold, as well as minor maintenance work in the heated depot hall and train shed.

Previous double page: With its famous crescent of summits, it is no wonder the Kleine Scheidegg ski paradise is a firm favourite with snowsport enthusiasts.

204
204
BDhe

Fränzi Abbühl, Lokführerin: Ruhig mit 300 Gästen aufs Joch

Fränzi Abbühl, train driver: Calmly up to the Joch with 300 guests

Die Komposition der Jungfraubahn nähert sich der Station Eigergletscher. Über den Bahnlautsprecher ertönt eine ruhige Frauenstimme. Fränzi Abbühl, die Lokomotivführerin des Zuges 541, gibt auf Deutsch und Englisch den bevorstehenden ersten Halt bekannt.
Frauen sind im Führerstand der Jungfraubahn-Lokomotiven eine Rarität, doch Fränzi Abbühl macht deswegen kein Aufhebens. Sie wuchs in Lauterbrunnen auf, der Vater arbeitete bei der Wengernalpbahn. Sie absolvierte die Verkehrsschule und lernte dann in Interlaken Elektronikmonteurin, ein damals für Frauen neuer Beruf. Danach wechselte sie zur Jungfraubahn, wo sie drei Jahre als Lokführerin arbeitete, dann heiratete, zwei Kinder aufzog und jetzt nach 17 Jahren wieder in den Beruf einsteigen konnte.
Wie manche ihrer Kolleginnen und Kollegen bei der Jungfraubahn ist sie von den Bergen geprägt. Niemals könnte sie im Unterland leben, und auch ein Tram durchs Stadtgewühl steuern möchte sie nicht, wie sie lachend feststellt.
Die Arbeit bei der Jungfraubahn ist abwechslungsreich, denn Lokführer werden auch in den Reparaturwerkstätten auf Eigergletscher und auf der Kleinen Scheidegg eingesetzt, dies namentlich im Winter, wenn die Fahrpläne dünner sind. Obwohl sie im Führerstand allein für einen ganzen Zug mit bis zu rund 300 Gästen die Verantwortung trägt, betont sie die Teamarbeit. Alle Mitarbeitenden im Fahrdienst und in den Werkstätten kennen sich und helfen sich gegenseitig aus. Wenn im Sommer unerwartet ein Extrazug eingeplant wird, fährt man eben ein zusätzliches Mal aufs Joch.
Frau Abbühl setzt den Zug nach der Funktionskontrolle der Bordinstrumente auf der Kleinen Scheidegg in Bewegung und lässt sich auf der Fahrt nicht ablenken, während der Journalist auf dem Klappsitz neben ihr durch den dunklen Schlund des endlos scheinenden Tunnels gleitet.
Da die Fahrzeuge sehr gut gewartet sind, verzeichnet man selten kritische Situationen wegen der Technik. Im Notfall nehme sie Verbindung mit der Leitstelle auf, wo man ihr weiterhelfe, sagt die Lokführerin.
Sie kennt das Rollmaterial von den Revisionen, die sie gemeinsam mit ihren Kollegen im Winter in den Werkstätten Eigergletscher und Kleine Scheidegg durchführt.
Sicherheit wird im ganzen Unternehmen großgeschrieben. Obwohl die Strecke regelmäßig von Streckenwärtern abgelaufen wird, hat Fränzi Abbühl die Schienen immer im Auge, denn es könnte ein gerade heruntergefallener Stein im Weg liegen. Im Frühling hängen oft Eiszapfen an den Tunneleingängen, und zuweilen vereisen die Schienen in der Nacht.
Die Lokführerin wirkt ruhig und überlegt, bei ihr fühlt man sich aufgehoben. Zwischenfälle seien selten, sagt sie, im Sommer stünden manchmal im Umkreis der Station Eigergletscher Kühe auf dem Geleise, da müsse man eben anhalten und die Tiere wegtreiben. Einmal habe ein Kollege eine

The Jungfrau Railway composition approaches the Eigergletscher station. A soft female voice is heard over the loudspeaker system. Fränzi Abbühl, driver of No. 541 train, announces the next stop in German and English.
It's rare to find a woman in the driver's cabin of a Jungfrau Railway locomotive but it's not something that Fränzi Abbühl makes a fuss about. She grew up in Lauterbrunnen where her father worked on the Wengernalp Railway. She graduated from the School of Transportation and then trained in Interlaken as an electronics engineer, at that time a new career for a woman. She then moved to the Jungfrau Railway where she worked as a train driver for three years before getting married and bringing up two children. Now, 17 years later, she has been able to return to her career.
As with many of her Jungfrau Railway colleagues, her life is shaped by the mountains. She says with a smile that she could never live in the lower regions and would never want to steer a tram through the hustle and bustle of a city.
Work at the Jungfrau Railway is widely varied because the train drivers are also deployed in the maintenance workshops on Eigergletscher and Kleine Scheidegg, particularly in winter when train services are reduced. Although in the driver's cabin, she bears full responsibility for the entire train with up to 300 passengers, she emphasizes the aspect of teamwork. All employees in the company's transport services and workshops know each other and give each other a helping hand. If an extra train is suddenly scheduled in summer, then another trip is simply made to the Joch.
On Kleine Scheidegg, Fränzi Abbühl checks the functions of the instruments and controls and then sets the train in motion. She does not let herself be distracted by the journalist sitting next to her on a fold-up seat while the train enters the dark mouth of the seemingly endless tunnel.
The trains and carriages are well maintained and so she seldom has to note critical situations involving technology. Fränzi Abbühl says that in the event of an emergency, she contacts the control centre and receives assistance.
She knows the rolling stock from the maintenance work that she and her colleagues carry out in the Eigergletscher and Kleine Scheidegg workshops in winter.
Safety is a top priority throughout the company. Although the section is regularly checked by linesmen, Fränzi Abbühl always keeps her eyes on the track because a rock could have fallen down a short while ago and rest in the path of the train. In spring, icicles often hang down at the tunnel entrance and sometimes the tracks can ice up overnight.
The train driver has a calm and confident manner, making you feel you are in good hands. She says that incidents are rare. In summer, cows often stray on to the tracks around the Eigergletscher station and then the train has to wait while the animals are driven out of the way. A colleague once ran over a goat that suddenly decided to leap to the other side of the tracks.

Ziege überfahren, die unerwartet noch auf die andere Seite springen wollte.
In den Jahren, in denen sie die Kinder aufzog und nicht mehr als Lokführerin arbeitete, habe sich bei der Bahn einiges verändert, sagt sie, in den neuen Komposition von Stadler Rail sei viel Elektronik enthalten, früher habe die Mechanik dominiert. «Bei der modernen Elektronik hilft es bei Problemen manchmal, einfach alles auszuschalten und dann wieder neu zu starten», sagt sie, «wie bei einem blockierten Computer.»
Fränzi Abbühl fährt sehr gerne mit den älteren Triebwagen, wo man bei technischen Problemen eher eingreifen kann. Sie liebt es, im Winter Schnee zu räumen mit der «Hexe», einer hundertjährigen Lokomotive, die – liebevoll gewartet – immer noch ihren Dienst tut und auch beim «Ambassdor Express» für Spezialfahrten mit alten Salonwagen eingesetzt wird. Auch Gütertransporte führt sie durch, meist mit den älteren Triebfahrzeugen.

She says that there have been several changes in the years when she was bringing up her children and not working as a train driver. The new Stadler Rail composition in which she sits has a wealth of electronics but in earlier days mechanical systems were the dominating factor. «With modern electronics, often the best way to solve a problem is to simply switch everything off and restart, the same as with a frozen computer,» she says.
Fränzi Abbühl loves to drive the older rolling stock where there's more of a chance of dealing with technical problems. In winter, she loves clearing snow with the «Hexe», a lovingly maintained 100-year-old locomotive that still does its job and is also used for exclusive trips with the Ambassador Express and its old-fashioned salon carriages. The locomotive is also used for goods transport, usually with older rolling stock. Brakes are vitally important for mountain railways; in steep terrain, every single tooth of the cogwheel bears a load of five tons! The train driver explains that a maximum speed of 27 kilometres per hour requires a stopping distance of eleven metres. Every forty seconds she has to carry out a hand manoeuvre in the driver's cab or a warning signal will sound. All procedures are recorded on a tachograph.
As already mentioned, safety is a top priority.
We approach Europe's highest-altitude railway station right on schedule. Even after so many journeys, Fränzi Abbühl is still enthralled by the wind and weather, by the interplay of clouds and fog on the mighty trio of summits that form the Jungfrau massif. So it is no surprise that in her free time and on holiday, her favourite pastimes are hiking and climbing the sheer rock faces.

Bei Bergbahnen sind die Bremsen äußerst wichtig; beim steilen Gefälle lastet auf jedem Zahn des Zahnrades ein Gewicht von fünf Tonnen! Bei der Maximalgeschwindigkeit von 27 Kilometern pro Stunde beträgt der Bremsweg elf Meter, wie die Lokführerin erklärt. Sie muss im Übrigen alle vierzig Sekunden eine Manipulation im Führerstand durchführen, andernfalls ertönt ein Warnsignal, und sämtliche Vorgänge werden auf dem Fahrtenschreiber festgehalten; Sicherheit wird großgeschrieben.
Wir nähern uns minutengenau dem höchstgelegenen Bahnhof Europas. Auch nach so vielen Fahrten ist Fränzi Abbühl beeindruckt von Wind und Wetter, vom Spiel der Wolken und vom Nebel am mächtigen Dreigestirn des Jungfraumassivs. Es überrascht nicht, dass sie während der Freizeit und in den Ferien am liebsten wandert oder in den steilen Felsen klettert.

Kleine Scheidegg–Eigergletscher

Kleine Scheidegg–Eigergletscher

Bereits vor der Abfahrt auf der Kleinen Scheidegg (2061 m) schauen die Gäste wie gebannt auf Felsen und Gletschermassen. Sie versuchen mit bloßem Auge das zwischen Jungfrau und Mönch als Miniatur sichtbare Sphinx-Observatorium zu erkennen. Dort oben auf dem Jungfraujoch wartet unter den Schneefirnen der auf 3454 Meter Meereshöhe unterirdisch im Fels angelegte Endbahnhof der Zahnradbahn auf ihre Ankunft.

In der Einlamellen-Zahnstange fährt die Jungfraubahn vorerst in zehn Minuten zur Station Eigergletscher (2320 m) hoch. Auf halber Höhe kommt der Zug am 2007 gebauten Speichersee Fallboden vorbei, wo rund 72 000 m³ Wasser für die technische Beschneiung des umliegenden Pistengebietes bereitgehalten werden. Beim See steht die alte Trafostation der Jungfraubahn mit ihrem Turmaufbau, die der Volksmund auch «Chilchli» nennt. Im Sommer 2011 wurde dort ein Erlebnis- und Ausstellungsraum zum Thema Eiger-Nordwand eröffnet. Er liegt am neu geschaffenen Jungfrau-Eiger-Walk, einer leicht begehbaren Wanderroute mit Informationsschildern zur Geschichte des Extrem-Alpinismus in der Region.

Nun setzt die Strecke zu einer weiten S-Kurve an. Der Zug durchfährt den mit einer Lawinenschutzgalerie auf 230 Meter Länge erweiterten Fallboden-Tunnel. Bald schon stoppt er bei der Kreuzungsstelle Eigergletscher, dem eigentlichen Hauptstützpunkt der Jungfraubahn.

Hier befand sich während langer Zeit die höchstgelegene Betriebsküche aller europäischen Bahngesellschaften. Heute kümmert sich die Bahnhofgaststätte um das leibliche Wohl der Mitarbeitenden. Als Unterkunft für die Angestellten dient das seit 2008 nicht mehr öffentlich zugängliche Gasthaus. Es steht am Fuß des Eigers, in direkter Nachbarschaft zum Portal des langen Tunnels.

Östlich der Station Eigergletscher erhebt sich das Personalgebäude «Egg». Seit Dezember 2010 finden hier die Wintersportler in den ehemaligen Räumlichkeiten der betriebseigenen Schreinerei eine Skibar mit großer Sonnenterrasse.

Even before the departure from Kleine Scheidegg (2061 m) guests already gaze as if spellbound at the cliffs and glaciers. With their bare eyes, they try to pick out the Sphinx observatory, nestling as if in miniature between the Jungfrau and Mönch. Up on the Jungfraujoch, the subterranean terminus station of the cogwheel railway (3454 m), built in the rock beneath the firn snow, awaits the arrival of the visitors.

The Jungfrau Railway first travels for ten minutes up to the Eigergletscher station (2320 m) on the single-rack track. At the half-way point, the train passes the Fallboden reservoir, built in 2007, which stores around 72 000 m³ of water to make technical snow for the surrounding pistes. Near the lake stands an old Jungfrau Railway transformer station with a tower, known locally as the «Chilchli» because it resembles a tiny church. A new experience and display room on the theme of the Eiger North wall was opened here in summer 2011. This is on the newly created Jungfrau Eiger Walk, an easy hiking trail with information panels on the history of extreme mountaineering in the region.

The railway track now makes a wide S bend. The train travels through the extended 230-metre-long Fallboden tunnel with its avalanche-protection gallery and soon stops at the Eigergletscher crossing point, essentially the main base of operations for the Jungfrau Railway.

This was long the location of the highest-altitude canteen of all European railway companies. Today, the railway restaurant caters for the needs of employees. The guest house, which has not been open to the public since 2008, provides staff accommodation. It stands at the foot of the Eiger, close to the entrance to the long tunnel.

Slightly elevated to the east of the Eigergletscher station is the Egg personnel building. The former company-owned joinery shop has served snow-sport fans as a ski bar with a large sun terrace since December 2010.

On the valley-side entrance to the Eigergletscher station is the dual-track depot housing the railway workshop, where a maximum of ten em-

Bei der talseitigen Einfahrt in den Bahnhof Eigergletscher befindet sich die zweigleisige Halle der Eisenbahn-Werkstätte, in welcher je nach Saison maximal zehn Mitarbeitende und vier Polymechaniker-Lehrlinge beschäftigt sind. Sie unterziehen jedes Jahr zwei bis drei Triebwagen der fälligen Hauptrevision. Dabei werden die Fahrzeuge vollständig zerlegt, die mechanischen, elektrotechnischen und elektronischen Ausrüstungen überprüft, wenn nötig mit neuen Ersatzteilen ausgestattet und schließlich wieder zusammengebaut.

Seit Herbst 2009 verwaist ist die nach der Bahneröffnung gegründete Grönland-Hundestation. Während 96 Jahren ließ die Direktion der Jungfraubahn unterhalb des Bahnhofs Eigergletscher Polarhunde züchten, die ursprünglich bei Schlittentransporten von und nach Wengen und später mit Gäste-Rundfahrten auf dem Aletschgletscher beim Jungfraujoch beschäftigt wurden.

Ein Wegweiser bei der Bahnstation macht auf den Startpunkt des Eiger-Trails aufmerksam. Dieser Bergpfad führt den geübten Wanderer an den Fuß des legendären Felsmassivs und anschließend über steile Alpweiden, wilde Geröllhalden und an einem Wasserfall vorbei zur WAB-Haltestelle Alpiglen hinunter. Unterwegs kann man sich von den verschiedenen Kletterrouten in der legendären Nordwand ein eigenes Bild machen.

ployees and four polymechanic apprentices work according to season. Every year, they perform the major maintenance work due on two to three railcars. The vehicles are completely dismantled, the mechanical, electro-technical and electronic equipment inspected, fitted with new replacement parts if necessary and then reassembled.

The Greenland dog kennels, founded after the building of the railway, has been deserted since 2009. The Jungfrau Railway management bred polar dogs in the kennels beneath the Eigergletscher for 96 years. The animals were originally brought in during railway construction to use as sledge dogs for transport to and from Wengen and later provided dog-sledge rides for guests on the Jungfraujoch.

A signpost at the railway station points the way to the start of the Eiger Trail. This mountain trail for experienced hikers leads along the foot of the legendary rock wall, on barren scree slopes and down over steep alp pastures past a waterfall to end at the WAB station at Alpiglen. En route you can form your own impressions of the various climbing routes on the famous Eiger North Wall.

Folgende Doppelseite:
Im Speichersee Fallboden wird während der Sommermonate das für die Beschneiung der umliegenden Pistengebiete benötigte Wasser gesammelt. Wetterhorn, Eiger und Mönch sind ein besonders prächtiger Hintergrund des 2007 künstlich geschaffenen Beckens.

Following double page:
Water needed to produce technical snow for the surrounding piste area is collected in the summer months and stored in the Fallboden reservoir. The Wetterhorn, Eiger and Mönch make an especially striking backdrop to the man-made basin, created in 2007.

Der Jungfrau Eiger Walk vermittelt zusammen mit der Ausstellung in der alten Trafo-Station Fallboden viel Wissenswertes zur Alpinismus-Geschichte (oben). Beeindruckend sind die in Stein gemeißelten Namen der an der Eiger-Nordwand tödlich verunglückten Alpinisten (unten).

Rechte Seite: Blick vom Fallboden gegen die Kleine Scheidegg.

The Jungfrau Eiger Walk and exhibition in the former Fallboden transformer station provide fascinating facts on the history of mountaineering in the Alps (above). Particularly impressive: the names of alpinists killed on the Eiger North Wall carved in stone (botton).

Page right: View from Fallboden towards Kleine Scheidegg.

Die 354 m lange Galerie Fallboden schützt das Streckengleis der Jungfraubahn vor Lawinen und Schneeverwehungen.

Rechte Seite: Vom imposanten Mönch überragt, mündet die Schutzgalerie bergseitig in den kurzen Fallboden-Tunnel, der durch eine Felskante zur Station Eigergletscher führt.

The 354-metre-long Fallboden gallery protects the Jungfrau Railway track from avalanches and snow drifts.

Page right: Dwarfed by the mighty Mönch, the protective gallery on the mountain slope heads into the small Fallboden tunnel leading through rock to the Eigergletscher station.

215

JUNGFRAUBAHN

JUNGFRAUBAHN

Vorangehende Doppelseite: Die gewaltige Westflanke des Eiger-Bergmassivs mit dem vorgelagerten Rotstock lässt die Züge auf Modellbahngröße schrumpfen.

Ein Zug hat die Station Eigergletscher verlassen und erreicht das Portal des Fallboden-Tunnels.

Rechte Seite: Mehrere Zugkompositionen der Baujahre 1960/61 und 1992 begegnen sich in der Kreuzungsstelle Eigergletscher.

Previous double page: The mighty west flank of the Eiger massif, and the protruding Rotstock in front of it shrink the trains to the size of a model railway.

A train has left the Eigergletscher station and reached the entrance to the Fallboden tunnel.

Page right: Several train compositions dating from 1960/61 and 1992 meet at the Eigergletscher crossing point.

36
95

Vorangehende Doppelseite: Blick zur Basis Eigergletscher mit Bahnwerkstätte und ehemaliger Polarhunde-Station (links), Personalgebäude Egg (Mitte) und dem ehemaligen Gasthaus beim Tunnelportal (rechts). An der Moräne des Eigergletschers sind regelmäßig Steinböcke zu beobachten.

Previous double page: View of the Eigergletscher base with railway workshops and former polar dog kennels (left), the Egg personnel building (middle) and the one-time guest house at the tunnel entrance (right). Ibex are regularly seen on the Eiger glacier moraine.

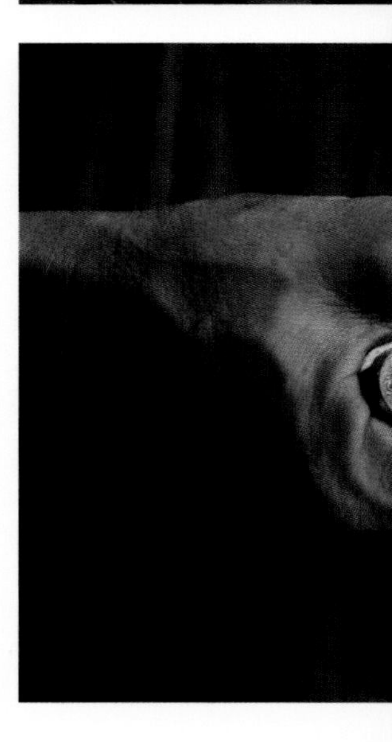

Die Eisenbahnwerkstätte Eigergletscher repariert und revidiert das Jungfraubahn-Rollmaterial. Bei Totalrevisionen werden die Fahrzeuge vollständig zerlegt. Alle Einzelteile werden geprüft, wo nötig nachbearbeitet oder ersetzt. Spezielle Aufmerksamkeit schenken die Handwerker den Drehgestellen mit dem Zahnradantrieb.

Jungfrau Railway rolling stock is repaired and overhauled in the Eigergletscher railway workshops. If a complete overhaul is required, the vehicle is totally dismantled. All individual parts are examined and reworked or replaced where necessary. The mechanics pay special attention to the bogies with the gearwheel drive.

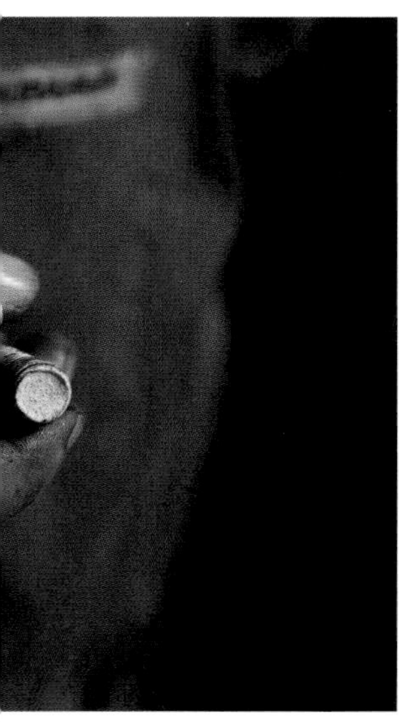

Heinz Inäbnit, Leiter Werkstätte Eigergletscher: «Zusammenarbeit und Zupacken»
Heinz Inäbnit, manager of the Eigergletscher workshop: «Teamwork and lending a hand»

«Dienst nach Vorschrift gibt es bei uns nicht», sagt Heinz Inäbnit, «Zusammenarbeiten und Zupacken sind hier oben selbstverständlich.» Der Leiter der Reparaturwerkstätte Eigergletscher auf 2320 Meter über Meer erklärt dem Besucher die Revision eines Triebwagens. Hier arbeiten meist Lokführer und auch zwei Lokführerinnen der Jungfraubahn. Im Winter, wo weniger Züge fahren, werden sie hier eingesetzt und überholen in minutiöser Präzisionsarbeit die Triebwagen.
Heinz Inäbnit, Jahrgang 1963, wuchs in Grindelwald auf, mit dem Eiger vor Augen, wie er sagt. Selbstverständlich machte er die Lehre als Mechaniker bei der Jungfraubahn. Nach einigen Jahren in verschiedenen mechanischen Firmen in der Region Thun kehrte er als Lokführer zurück zur Jungfraubahn, anschließend besuchte er die Mechanikermeisterschule in Winterthur und absolvierte die Prüfung zum eidgenössisch diplomierten Mechanikermeister. «Mich interessierte schon immer die Technik», sagt er. «Mit der Begeisterung für das Fahren der Triebwagen und Loks wuchs mit der Zeit die Freude an der Ausbildung, dem Organisieren und der Personalführung. Ich bildete mich darum weiter, um als Werkmeister weitere Aufgaben übernehmen zu können.»
Inäbnit kennt alle Generationen der Triebfahrzeuge innen und außen; von den hundertjährigen Loks, die immer noch zum Schneeschleudern und für den Nostalgiezug Eiger Ambassador Express eingesetzt werden, bis zu den neuesten Doppeltriebwagen. Ihn beeindruckt, dass die Jungfraubahn von Anfang an elektrisch fuhr. «Man stelle sich vor, die Bahn hat in Lauterbrunnen und später im Lütschental ein eigenes Kraftwerk gebaut, in einer Berggegend, wo damals noch keine Glühlampe leuchtete!», schwärmt der sonst ruhige Bergler.
Je älter er werde, desto wichtiger werde ihm das Zusammenarbeiten mit den Menschen, die soziale und berufliche Kompetenz, welche das Funktionieren der Werkstätte erst möglich mache, sagt Inäbnit. Besonders am Herzen liegt ihm die Ausbildung der vier Polymechaniker-Lehrlinge, die so oft wie möglich bei praktischen Arbeiten zum Einsatz kommen und im Winter meist mit den Skiern von ihrem hoch gelegenen Arbeitsplatz ins Tal hinunter carven.
«Im Sommer kommt es immer wieder vor, dass bei schönem Wetter wegen unerwartet hohen Passagieraufkommens zusätzliche Züge eingesetzt werden», erklärt Inäbnit. «Klar, dass wir einspringen; auch wenn der Feierabend später beginnt.»
Bei unserem Besuch werden die Drehgestelle einer BDhe 2/4 aus dem Jahr 1964 revidiert, die große Revision ist nach rund neun Jahren Fahrt und 100 000 Kilometern fällig. Die acht neuen Doppeltriebwagen BDhe 4/8, gebaut in den Jahren 1992/93 und 2002, schaffen bis zu 300 000 Kilometer bis zur großen Revision. Dabei werden auch die Triebzahnräder gewendet oder ausgetauscht. Diese für die Jungfraustrecke maßgeschneiderten Zahnrad-Kompositionen bilden heute das Rückgrat des Rollmaterials.
«Meine Aufgabe ist es, die Ersatzteile zu bestellen, die Arbeiten zu organisieren, die Mitarbeiter einzuteilen und die Abläufe der Revision zu planen und technisch zu begleiten», sagt Inäbnit. Das ganze Fahrzeug wird ausgeweidet, jedes Zahnrad,

«There's no such thing as working to set rules for us. Team work and lending a hand are the order of the day up here,» says Heinz Inäbnit. The manager of the Eigergletscher maintenance workshop at 2320 metres above sea level is explaining the maintenance work on a railcar to a visitor. It is mostly Jungfrau Railway engine drivers, two of them women, who work here. In winter, when fewer trains are in service, they overhaul the railcars with meticulous precision.
Heinz Inäbnit was born in 1963 and grew up in Grindelwald, as he says with the Eiger before his eyes. So it's hardly surprising that he trained as a mechanic with the Jungfrau Railway. After several years working for various mechanical-engineering companies in the Thun region, he returned to the Jungfrau Railway as a train driver. He then attended the Master Mechanics School in Winterthur and qualified as a federally certified master mechanic. «I've always been interested in technology,» he says. «Over time, as well as being keen on driving the railcars and locomotives, I grew to enjoy training, organization and leading a team. And so I completed further training so that I could take on additional responsibilities as a foreman.»
Inäbnit knows each generation of traction vehicles inside out; from the hundred year old locomotives that are still used for clearing snow and for pulling the carriages of the nostalgic Eiger Ambassador Express as well as the latest twin railcars. He finds it impressive that the Jungfrau Railway was electrically driven from the very start. «Just imagine, the railway built an own power station in Lauterbrunnen followed by another in Lütschental, in a mountain region where at that time there was not even one glowing light bulb!,» enthuses the otherwise quiet man from the Oberland.
Inäbnit says that the older he gets, the more important he finds teamwork with other people, the social and professional skills that make it possible for the workshop to actually function. He has a special place in his heart for training the four polymechanic apprentices, who carry out practical work as often as possible and in winter usually ski back down to the valley from their high-altitude workplace.
«On fine summer days, it can often happen that extra trains have to be put into service because of high passenger demand,» says Inäbnit, adding «obviously we help out then, even if it means finishing work later.»
During our visit, the bogie of a 1964 BDhe 2/4 is undergoing maintenance work. It is due for a major overhaul after around nine years in service and 100 000 kilometres. The eight newer BDhe 4/8 twin railcars built in 1992/93 and 2002 reach 300 000 kilometres before needing a major overhaul, whereby the driving cogwheels are also either turned or replaced. These cogwheel compositions, custom-made for the Jungfrau section, today form the backbone of the rolling stock.
«It's my job to order replacement parts, to organize the work, to deploy employees and plan the sequence of maintenance work. I'm also responsible for its technical supervision,» says Inäbnit. The entire vehicle is stripped down, every cogwheel, every roller bearing is closely inspected. Corrosive rust is particularly dangerous as it weakens the material. The mechanics meticulously examine the condition of the two separate braking systems. Finally, every part is polished till

jedes Wälzlager unter die Lupe genommen. Namentlich eingefressener Rost ist wegen der Schwächung des Materials gefährlich. Minutiös kontrollieren die Mechaniker den Zustand der beiden unabhängigen Bremssysteme. Zum Schluss wird jedes Teil auf Hochglanz poliert und zusammengebaut. Vor der Freigabe für den Personentransport werden die Fahrzeuge gründlich kontrolliert sowie die beiden Bremssysteme unter Vollbeladung des Fahrzeuges intensiv durch Bremsmessfahrten, die protokolliert werden, getestet.
Im Korridor bei Inäbnits Büro hängen alte Fotos der Reparaturwerkstätte: modernste Technik aus der Pionierzeit.
Die Werkstätte, beim Bau der Bahn unweit des Eingangs zum Tunnel durch Eiger und Mönch erstellt, ist für heutige Betriebsausläufe am Limit, obwohl man sie im Laufe der Jahrzehnte Schritt für Schritt modernisiert hat. So wurde die Grube unter den zu revidierenden Kompositionen vertieft und die Equipe immer wieder mit neuen Werkzeugen ausgestattet. Für die anstehenden Überholungen der Doppeltriebwagen ist die bestehende Halle etwas zu kurz.
Im Magazinraum überraschen viele massive Bestandteile; wuchtige Schrauben und Federn zum Beispiel für die älteren Kompositionen, die man bei den Herstellerfirmen immer noch nachbestellen kann.
In den Werkstätten auf Eigergletscher und der Kleinen Scheidegg beschäftigen die Jungfraubahnen verschiedenste Berufsleute, von Mechanikern und Elektromechanikern über Sanitärinstallateure und Schreiner bis zur Technischen Assistentin. Konstruktionszeichnungen werden heute elektronisch mit CAD realisiert, die Elektronik eroberte auch die Werkstätten, was für Inäbnit und sein Team stetiges Lernen bedeutet.
Der Vater zweier Töchter hat den Globus auf einer Weltreise umrundet und in der Schweiz manche Viertausender bestiegen. An einigen Wochenenden im Jahr amtet er als Hüttenwart in der Berglihütte auf der Ostseite des Mönchs. «Ich habe viele Länder mit Interesse bereist», sagt Heinz Inäbnit, «aber in den Berner Oberländer Bergen fühle ich mich wohl.»

it shines and then reassembled. Before being approved for passenger transport, the vehicles are given a thorough check and the two braking systems subjected to intensive test drives with a fully loaded vehicle. The results are recorded.
In the corridor next to Inäbnit's office hang old photos of the maintenance workshop: state-of-the-art technology in those pioneering days.
The workshop was built close to the entrance to the tunnel through the Eiger and Mönch at the time of the construction of the railway. Despite being gradually modernised over the decades, it is now at its limit in terms of today's course of operations. The inspection pit under the compositions to be repaired has been deepened and the team are constantly equipped with new tools. The existing workshop is a little lacking in length for the pending overhaul of the twin railcars.
The storeroom area is surprising, holding many huge component parts. For example immense screws and springs for the older train compositions, parts that can still be reordered from the manufacturers.
Jungfrau Railways employs a wide variety of professionals in the workshops on Eigergletscher and Kleine Scheidegg, from mechanics and electrical engineers, plumbers and joiners to a female technical assistant. Construction drawings are now done electronically with CAD. Electronics also rule in the workshop, which means a constant learning process for Inäbnit and his team.
The father of two daughters has circled the globe on a world tour and climbed several 4000 metre peaks in Switzerland. On a few weekends of the year he acts as warden in the Berglihütte, the tiny mountain hut on the east flank of the Mönch. «I've visited many countries with great interest, but here in the Bernese Oberland mountains is where I feel at home,» says Heinz Inäbnit.

Durch die Eigerwand

Through the Eiger Wall

Die nächtlichen Lichter an der Eiger-Nordwand und Sternschnuppen am Himmel sorgen für eine mystische Atmosphäre.

The night-time illumination on the Eiger North Wall and shooting stars in the sky create a mystic atmosphere.

An Spitzentagen wickelt die Jungfraubahn zwischen der Kleinen Scheidegg und dem Jungfraujoch in beiden Fahrtrichtungen bis 110 Zugsfahrten ab. Dabei werden gegen 5500 Passagiere und viele Tonnen Güter befördert. Auch an der Trinkwasser-Versorgung der Betriebe und Anlagen auf dem Jungfraujoch ist die Zahnradbahn beteiligt. Hier gilt es, einen Jahresverbrauch von rund neun Millionen Litern abzudecken. Jedes Jahr transportiert die JB mit ihrem Tankwagen ab der Kleinen Scheidegg gut 5000 m³ Trinkwasser. Das Brauchwasser wird auf dem Joch aus Eis und Schnee von Dächern, Firnen und Felsen gewonnen und dort mit modernster Technik aufbereitet, während man die Abwässer in einer unterirdischen Leitung dem Gleis entlang zur Kleinen Scheidegg und von dort zur Kläranlage in Grindelwald ableitet.

Die Jungfraubahn fährt seit Eröffnung mit Drehstrom (dreiphasigem Wechselstrom). Die Energie wird den Fahrzeugen über zwei parallel geführte Fahrdrähte zugeführt. Ursprünglich verwendete

On peak days, the Jungfrau Railway makes up to 110 journeys in both directions between Kleine Scheidegg and the Jungfraujoch, transporting nearly 5500 passengers and many tons of freight. The cogwheel railway is also involved in supplying drinking water for the operation and facilities on the Jungfraujoch; an annual consumption of around nine million litres has to be covered. Every year, the JB transports around 5000 m³ of drinking water up from Kleine Scheidegg in a railway tanker. Water for services on the Joch is obtained from ice and snow on the roofs, the firn and rock and purified in-situ with the latest technology. Waste water is drained off through an underground pipe laid along the tracks, first to Kleine Scheidegg and from there to the treatment plant in Grindelwald.

The Jungfrau Railway has operated on three-phase alternating current since it opened. The power is fed to the railcars via two parallel contact wires. A catenary line voltage of 500 volts with a frequency of 40 hertz was originally used but in

man eine Fahrleitungsspannung von 500 Volt bei einer Frequenz von 40 Hertz, die dann 1965 zur Leistungssteigerung auf 1125 Volt und 50 Hertz erhöht wurde. Mit ihren Rekuperationsbremsen erzeugen zwei talwärts fahrende Züge den Fahrstrom für die Bergfahrt eines Zuges. Diese Betriebsart ermöglicht über dreißig Prozent Energieeinsparung. Die Stromversorgung übernimmt das betriebseigene Wasserkraftwerk in Lütschental (unterhalb von Grindelwald).

Vier unabhängige Bremssysteme sorgen für eine sehr hohe Sicherheit. Die Züge verfügen über elektrische Widerstandsbremsen, über Nutzstrombremsen mit Stromrückgabe in die Fahrleitung sowie über zwei mechanisch wirkende Bandbremseinrichtungen.

Tunnelfahrt mit Überraschungen

Kaum hat sich der Zug in der Station Eigergletscher wieder in Bewegung gesetzt, verschwindet er auch schon in der 7207 Meter langen Tunnelröhre, die ihn im Fels der beiden Bergriesen Eiger und Mönch in einer Steigung von maximal 25 Zentimetern pro Meter Streckenlänge zum Jungfraujoch hochführen wird. Diese Linienführung ermöglicht dem menschlichen Körper eine sanfte Angewöhnung an den Höhenunterschied. Der eingleisige Tunnel führt mehrheitlich durch standfesten Hochgebirgskalk und Gneis. Die Gewölbe und Wände mussten deshalb nicht ausgemauert werden.

Zuerst kommt der Zug an der nicht mehr benutzten Haltestelle Rotstock vorbei, wo heute der zur Bauzeit ausgesprengte Fensterstollen verschlossen ist. Der dort außerhalb an der Felswand eingerichtete Klettersteig kann über einen Weg von der Station Eigergletscher aus erreicht werden.

Nach wie vor existiert das zur Eiger-Nordwand hinausführende und von Bergfilmen bekannte «Stollenloch» bei Streckenkilometer 3,8. Hier gibt es heute nur noch gelegentliche Sonderhalte für spezielle, von einem Grindelwaldner Bergsport-Veranstalter organisierte Gruppen-Events. Wie einige weitere Ausstiegsmöglichkeiten in der Eiger-Nordwand kann aber auch dieser Stollen

1965 this was increased to 1125 volts and 50 hertz to increase performance. The regenerative brakes of two trains travelling downhill produce the traction current for an ascending train. This method of operation makes it possible to achieve energy savings of over 30 per cent. The power supply comes from the company's own hydroelectricity plant in Lütschental (just below Grindelwald).

Four independent braking systems provide a very high degree of safety. The trains are equipped with electrical dynamic brakes, regenerative brakes with power fed back into the catenary lines and two mechanically operated band brake systems.

A trip through a tunnel of surprises

The train has hardly pulled out of the Eigergletscher station before it already disappears into the 7207-metre-long tunnel that will lead it up to the Jungfraujoch. A journey through the rock of the two mountain giants, the Eiger and Mönch, at a maximum gradient of 25 centimetres per metre. This route gives the human body the chance to acclimatise to the difference in altitude. The single-track tunnel leads mostly through high-Alpine limestone and gneiss and thus the roof and walls do not require lining.

The train first passes the disused Rotstock stop, where the opening that was blasted out at the time of construction has now disappeared. The fixed-rope climb set up on the outside rock face can be reached along a route from the Eigergletscher station.

The «Stollenloch», a tunnel leading out onto the Eiger North Wall and famous from mountaineering films, still exists at the 3.8 kilometre point up the railway track. Stops are now only made here for occasional group events arranged by a Grindelwald mountain-sport event organizer. However, as with a few other exit points on to the Eiger North Wall, this tunnel can still be used by teams providing Alpine rescue services.

After 13 minutes, the train stops at the Eigerwand tunnel station (2865 m). Guests leave the train to venture to the panoramic openings broken

weiterhin von Rettungsmannschaften für alpinistische Hilfeleistungen benützt werden.

Nach dreizehn Fahrtminuten hält der Zug in der Tunnelstation Eigerwand (2865 m). Die Gäste verlassen die Abteile und gehen zu den mitten in der Eiger-Nordwand ausgebrochenen Aussichtsfenstern, die heute mit Glas gegen die Witterungseinflüsse geschützt sind. Bei Wetterglück können die Besucherscharen den Blick in nördlicher Richtung schweifen lassen. Es begeistert eine tolle Vogelschau hinunter zur Kleinen Scheidegg, ins Grindelwaldtal und zum Thunersee sowie eine Fernsicht in die Nordschweiz bis zum Jura, gegen den Schwarzwald und zu den Vogesen.

Fünf Minuten sind kurz, die Uhr drängt wieder zum Einsteigen. Nach einer weiteren Fahrtstrecke wird abermals angehalten. Diesmal in der Tunnelstation Eismeer (3158 m), wo die Gäste wieder zum Aussteigen ermuntert werden. Hier befinden sich die Glasfenster auf der Ostseite von Eiger und Mönch und geben den Ausblick frei auf die gewaltigen Eismassen des Unteren Grindelwald- und des Fieschergletschers. Darüber erhebt sich als Kulisse die majestätische Schreckhorngruppe.

In der 1905 eröffneten Station Eismeer war ursprünglich ein Restaurant untergebracht, wo man den Gästen bei den großen Aussichtsfenstern erlesene Speisen servierte. Es handelte sich um die erste Schweizer Gaststätte mit elektrischer Küche. Es gab ein eigenes Postamt, wo Briefmarken gestempelt sowie Bildpostkarten und Briefe aufgegeben werden konnten. Die Restauration wurde 1924 nach der Inbetriebnahme des Berghauses Jungfraujoch aufgegeben. Die Haltestelle Eismeer diente während langer Zeit auch als Ausgangspunkt für alpine Bergtouren und beliebte Gletscher-Exkursionen. Ebenfalls weltberühmt war damals die abenteuerliche Skiabfahrt nach Grindelwald.

Die Stationen Eigerwand und Eismeer werden als automatische Kreuzungsstellen genutzt. Während die bergwärts fahrenden Züge jeweils ihre fünfminütigen Aussichtshalte einlegen, können die zur Kleinen Scheidegg absteigenden Züge auf

through the Eiger North Wall. These openings are now glazed to provide protection from the weather. If they are lucky with the weather, the crowd of visitors can let their gaze sweep to the north and marvel at a spectacular bird's-eye-view of Kleine Scheidegg, the Grindelwald Valley and Lake Thun, as well as long-distance views of northern Switzerland and the Jura, Germany's Black Forest and the Vosges in France.

Five minutes soon pass and it's time to re-board the train. After travelling another stretch of railway the train stops again, this time in the Eismeer tunnel station (3158 m) where guests are again encouraged to leave the train. Here, the glass windows are on the east side of the Eiger, awarding views of the huge ice masses of the Untere Grindelwaldgletscher (Lower Grindelwald Glacier) and Fiescher Glacier with the backdrop of the majestic Schreckhorn massif.

Opened in 1905, the Eismeer station initially housed a restaurant where guests sat in front of large vantage windows and were served choice cuisine. This was the first Swiss restaurant with an electric-powered kitchen. There was also an own post office where postage stamps could be franked and picture postcards and letters posted. The restaurant was closed in 1924 after the opening of the Berghaus (mountain lodge) on the Jungfraujoch. For a long time, the Eismeer station also served as a starting point for Alpine tours and popular glacier excursions. The adventurous downhill ski runs to Grindelwald were also world famous at that time.

The Eigerwand and Eismeer stations are used as automatic crossing points. While the ascending train makes a five-minute halt, the train descending to Kleine Scheidegg can roll past on a turn-out track. Since the 1970s, the system has been arranged as follows: four train compositions have space to stop together. Each shuttle train is assigned a connecting gallery that leads to a corresponding window area in the viewing halls and to the toilet facilities. This allows guests to easily find their way back to their train.

During the first 39 years of operation, passengers had to change trains at the Eismeer station.

einem Ausweichgleis vorbeirollen. Seit den 1970er-Jahren sind die Anlagen wie folgt ausgerüstet: Vier Zugskompositionen finden gleichzeitig auf dem Haltegleis Platz. Jedem Pendelzug ist ein Verbindungsstollen zugeordnet, der zum entsprechenden Fensterbereich in den Aussichtshallen und zu den Toiletten führt. So finden die Gäste wieder problemlos zu ihrer Zugskomposition zurück.

Während der ersten 39 Betriebsjahre mussten in der Station Eismeer die Züge gewechselt werden. Zwischen Eismeer und Jungfraujoch gab es ursprünglich keine durchgehende Zahnstange. Da dort ein längerer Gleisabschnitt nur um 63 Promille ansteigt, reichte der Adhäsionsantrieb. Erst auf dem obersten Schlussstück geht die Linienführung wieder in die Maximalsteigung von 250 Promille über. Die Zugförderung besorgten damals ausschließlich zweiachsige Kleinloks, die für den kombinierten Betrieb mit Adhäsions- und Zahnradantrieb ausgerüstet waren. Im Jahr 1951 ließ die JB auf voller Länge Einlamellen-Zahnstangen montieren, womit der Fahrzeugeinsatz vereinfacht und das Umsteigen in der Station Eismeer unnötig wurde.

Die 3,64 Kilometer lange Schlussetappe zum höchstgelegenen Bahnhof Europas überwindet der Zug innert elf Minuten. Kurz vor dem Ziel überquert die Strecke noch die Walliser Kantonsgrenze. Das Jungfraujoch liegt auf dem Gemeindegebiet von Fieschertal. In der unterirdischen Endstation muss der ganze Bahnbetrieb auf nur drei Gleisen abgewickelt werden. Auf engstem Raum gibt es auch Güterumschlagseinrichtungen. Den Gast erwartet hier eine pulsierende Drehscheibe mit verschiedenen Stollengängen und Aufzügen, die zu den Aussichtspunkten, zum Berghaus und Postamt, zur Gletschergrotte, Sphinx und Forschungsstation sowie zum Ausgang gegen den Aletschgletscher führen. Im Bau und geplant sind weitere Anlagenteile, die das Jungfraujoch in den nächsten Jahren für die aus aller Welt anreisenden Gäste und Naturfreunde noch attraktiver machen sollen.

Initially, there was no continuous rack rail between Eismeer and the Jungfraujoch. Adhesion operation was sufficient as a long section of the track had a gradient of only 63 per mille. The maximum gradient of 250 per mille is not reached again until the last section of track. In those early days, the trains were pulled exclusively by small twin-axle locomotives that were equipped for a combination of adhesion and cogwheel operation. In 1951, the Jungfrau Railway installed single-rack rails along the entire length of track, simplifying the deployment of locomotives and eliminating the need to change trains at the Eismeer station.

The train negotiates the 3.64-kilometre final section to Europe's highest-altitude railway station in 11 minutes. Just before reaching its destination, it crosses the cantonal boundary into Canton Valais. The Jungfraujoch is located in the municipal region of Fieschertal. The entire operation at the underground terminus station has to be conducted on only three tracks. A goods-transfer facility is also installed in a very compact area. Here, guests will find a vibrant pivotal point with various tunnels and lifts leading to vantage points, the Berghaus and post office, the Ice Palace, the Sphinx and research station as well as to the exit to the Aletsch Glacier. Additional attractions are in the planning stage and under construction. Over the next few years, these will make the Jungfraujoch even more attractive for guests and nature lovers who travel here from all over the world.

Folgende Doppelseite:
Nach über 7 km Tunnelfahrt kommt der auf dem Jungfraujoch gestartete Zug bei der Station Eigergletscher wieder ans Tageslicht.

Following double page:
After a 7 km journey through the tunnel from the Jungfraujoch, the train emerges into daylight at the Eigergletscher station.

18
211

Der informativ beschilderte Bergweg Eiger Trail führt vom Eigergletscher nach Alpiglen (oben). Leichter zu gehen ist der Jungfrau Eiger Walk mit Info-Säulen und inszenierten Szenen zwischen Kleiner Scheidegg und Eigergletscher (unten).

Rechte Seite: Das Portal des langen Tunnels bei der Station Eigergletscher kann mit einer Stahltüre verschlossen werden.

The fascinating, signposted Eiger Trail is a mountain path leading down from Eigergletscher to Alpiglen (above). The Jungfrau Eiger Walk with information panels and staged scenes leads from Eigergletscher down to Kleine Scheidegg and is a much easier hike (bottom).

Page right: The entrance to the long tunnel at Eigergletscher station can be closed with a metal door.

214

Vorangehende Doppelseite: Die Fahrt zum Jungfraujoch verläuft mehrheitlich im Fels des Eiger-Bergmassivs. Außerhalb des Lichtraumprofils der Fahrzeuge bleibt nur wenig Platz.

Blick aus dem Führerstand bei der Einfahrt in die Kreuzungsstelle Eismeer.

Rechte Seite: Während der Fahrten in der regelmäßig ansteigenden Felsröhre ist höchste Konzentration erforderlich.

Previous double page: The journey to the Jungfraujoch runs for the most part through the rock of the Eiger massif. Space is tight beyond the profile of the train.

View from the driver's cabin at the entrance to the Eismeer crossing point.

Page right: Maximum concentration is demanded on the journey through the steadily ascending rock tunnel.

24
km/h
HEIZUNG

Vorangehende Doppelseite: Der Streckenwärter bringt sich im Tunnel vor einem talwärts fahrenden Zug in Sicherheit. An seinem ungewöhnlichen Arbeitsort übt er eine verantwortungsvolle Tätigkeit aus.

Bei regelmäßigen Kontrollgängen prüft der Streckenwärter den Zustand von Drehstrom-Doppelfahrleitung, Tunnelwänden, Felsgewölben, Schienen und Zahnstangen. Dazu stehen ihm verschiedenste Beleuchtungssysteme und Lampen zur Verfügung.

Previous double page: The linesman stands in a safe place as a descending train passes in the tunnel. He has a highly responsible job in a highly unusual workplace.

On his regular tours of inspection, the linesman checks the condition of the three-phase double overhead lines, tunnel walls, rock arches, tracks and toothed racks. He can call on a variety of different lighting systems and lamps.

Rolf Hirschi, Streckenwärter: Sicherheit im Tunnel

Rolf Hirschi, linesman: Safety in the tunnel

«Der Berg ist groß, und wir sind klein», dies sagte Verkehrsminister Bundesrat Leuenberger anlässlich des Durchstichs des Gotthard-Basistunnels im Sommer 2010, und der Satz kommt einem im Innern des Eigers spontan in den Sinn.
Mit Streckenwärter Rolf Hirschi gehen wir fast feierlich langsam durch den 7122 Meter langen Tunnel der Jungfraubahn ins Tal, über uns türmt sich der Fels tausend Meter hoch. Roh ist er noch heute, wie damals vor hundert Jahren, als die Pioniere diesen Tunnel bohrten. Hie und da sind noch die Spuren der Sprengungen sichtbar, mit denen die Mineure dem Berg zuleibe rückten.
Rolf Hirschi, 1977 in Unterseen geboren, verheiratet und Vater zweier Kinder, ist kein Mann der großen Worte; ein Bergler, der die Natur hier oben kennt und respektiert. Der gelernte Forstwart arbeitet seit zehn Jahren als Streckenwärter bei der Jungfraubahn, und er mag seine verantwortungsvolle Aufgabe.
Mit der starken Lampe sucht er jeden Meter nach Unregelmäßigkeiten ab. «Ja, ich kenne diesen Tunnel wie meinen Hosensack», sagt er, während er einen Geleiseabschnitt unter die Lupe nimmt. Um Unregelmäßigkeiten sofort melden zu können, ist Hirschi durch ein Funkgerät mit der Leitstelle auf der Kleinen Scheidegg verbunden. Das Augenmerk gilt den Schienen und der Zahnstange, sitzt noch jede Schraube fest an ihrem Platz? Der Kabelkanal verläuft im Boden, ihm ist ebenfalls Aufmerksamkeit zu schenken. Im Vorbeigehen liest der Streckenwärter eine PET-Flasche auf, die ein gedankenloser Tourist aus dem Fenster geworfen hat.
«Das Reinigen der Zwischenstationen Eigerwand und Eismeer gehört ebenfalls zu unseren Aufgaben», erklärt Hirschi. Für den spektakulären Ausguck aus der weltberühmten Felswand und auf die hochalpinen Eisflächen sind für die Fahrgäste je fünf Minuten eingeplant. Die meisten Touristen, die aus aller Welt hierher kommen, werfen die Abfälle nach dem Blick in die Tiefe in die entsprechenden Behälter, aber leider nicht alle. So hinterlässt die Konsumgesellschaft auch in der Eigernordwand ihre Spuren, die Hirschi und seine Kollegen beseitigen.
Wir sind jetzt einen guten Kilometer gegangen in einem Stollen, der an eine Festung erinnert. Die Temperatur im Bauch des Berges schwankt je nach Jahreszeit zwischen minus drei und plus zwei Grad. Der Streckenwärter kontrolliert auch den Handlauf entlang der Geleise, den das Zugspersonal im Notfall beleuchten kann, damit die Menschen rascher ihren Weg hinaus finden würden. Seit der Katastrophe mit vielen Toten im Tunnel der Bergbahn im österreichischen Kaprun sind die Sicherheitsstandards auch bei der Jungfraubahn weiter erhöht worden. Alle 200 Meter ist ein Nottelefon angebracht, das mit der Leitstelle auf der Kleinen Scheidegg verbunden ist, und alle zehn Meter zeigt ein kleines Schild die Distanz an, um den genauen Standort definieren zu können.
Die fünf Mitarbeiter des Bahndienstes sind auch bei der Feuerwehr der Bahn eingeteilt, die seit

«The mountain is huge and we are tiny,» said Swiss Minister of Transport and Federal Councillor Leuenberger at the breakthrough of the Gotthard basis tunnel in summer 2010. This sentence springs suddenly to mind inside the Eiger.
Accompanied by linesman Rolf Hirschi, I walk at an almost funeral pace down through the 7122-metre-long tunnel of the Jungfrau Railway. Above us are one thousand metres of rock. It is as basic here today as it was over a century ago when pioneers blasted and hacked their way through solid rock to build this tunnel. Here and there, you can still see traces of the blastings carried out by the miners to push forward inside the mountain. Rolf Hirschi, born in Unterseen in 1977 and married with two children, is a man of few words; a mountain lover who knows and respects the natural world at these heights. The trained forester has worked as a linesman for the Jungfrau Railway for ten years and loves his highly responsible task.
Using his powerful lamp, he examines every metre for irregularities. « I know this tunnel like the back of my hand,» he says, closely scrutinizing a piece of track. Hirschi is connected to the control centre on Kleine Scheidegg by two-way radio so that he can immediately report any irregularities. His attention is focused on the tracks and the toothed rack; is every screw still tightly in place? The cable duct is laid in the ground and must also be paid close attention. In passing, the linesman picks up a plastic bottle that a thoughtless tourist has thrown out of the window.
«Our duties also include cleaning the Eigerwand and Eismeer intermediate stations,» explains Hirschi. Five-minute stops are made at each station to allow passengers to gaze down the world-famous rock wall and over the high-Alpine expanses of ice. After peering down into depths, most of the international stream of tourists – but unfortunately not all of them – throw their rubbish into the allocated waste bins. The consumer society also leaves its traces here inside the Eiger North Wall, traces that Hirschi and his colleagues remove.
We have now covered just over a kilometre in a tunnel reminiscent of a fortress. The temperature in the core of the mountain fluctuates between minus three and plus two degrees according to season. The linesman also checks the handrails running alongside the track, which the railway personnel can illuminate in an emergency to allow people to find the exit more rapidly. Safety standards have also been tightened up on the Jungfrau Railway since the disaster with a large number of fatalities in the mountain railway tunnel in Kaprun, Austria. Emergency telephones connected to the control centre on Kleine Scheidegg have been installed at 200-metre intervals and every ten metres is a panel displaying the distance, making it possible to define the precise location.
The five railway services employees are also members of the railway fire brigade, which happily has never been called out since Hirschi has been working here. The linesmen, who also carry out track repairs, come from a variety of occupations but all have gone through a related further training course at Jungfrau Railways. The employees are deployed flexibly;

Hirschi hier arbeitet glücklicherweise noch nie zum Einsatz kam. Die Streckenwärter, die auch bei der Geleisereparatur eingesetzt werden, kommen aus verschiedenen Berufen, durchliefen aber alle eine einschlägige Weiterbildung bei den Jungfraubahnen. Die Mitarbeitenden werden flexibel eingesetzt; sind gerade keine Kontrollgänge zu machen, räumen sie im Winter Schnee oder führen verschiedene Unterhaltsarbeiten entlang der Geleise aus.
«Einmal lagen tief im Tunnel große Felsbrocken auf dem Geleise», erinnert sich Hirschi, «nach einer Stunde waren sie weggeräumt.» Solche Vorfälle sind sehr selten, meist geht es bei den Beanstandungen um Kleinigkeiten. Aus dem archaisch wirkenden Loch ist eine technische Lebensader für die Einrichtungen auf dem Jungfraujoch geworden. Durch den Tunnel verlaufen nicht nur die Fahrleitung, die elektrische Speiseleitung und das Glasfaserkabel, sondern auch die Abwasserpipeline, die vom Jungfraujoch zur Kläranlage in Grindelwald führt.

if no inspection checks need to be made, they clear snow in winter or carry out diverse maintenance work along the tracks.
«Large boulders once lay on the track deep in the tunnel,» recalls Hirschi. «But within an hour they had all been cleared away.» Such incidents are rare, most only involve sorting out minor matters. The archaic-looking hole has become a technical lifeline for installations on the Jungfraujoch. Contact lines, electrical feeder lines and fibre-glass cables run through the tunnel as well as the wastewater pipeline from the Jungfraujoch to the treatment plant in Grindelwald.
The railway services employees always arrive for work on the first train leaving Grindelwald Grund at 7.25 am. The shift including paid arrival time lasts exactly 8.3 hours and sometimes Hirschi and his colleagues stay overnight at the Eigergletscher station or on the Jungfraujoch. «Now and then it gets a little lonely away from your wife and children,» he admits.

Die Mitarbeiter des Bahndienstes kommen jeweils mit dem ersten Zug, 07.25 Uhr ab Grindelwald Grund, zur Arbeit. Die Schicht dauert inklusive der bezahlten Anreise 8,3 Stunden, und manchmal übernachten Hirschi und seine Kollegen auch bei der Station Eigergletscher oder auf dem Jungfraujoch. «Da fühlt man sich zuweilen schon etwas einsam, weg von Frau und Kindern», räumt er ein. Rolf Hirschi verbringt mit seiner Familie auch die Ferien meist in den Bergen. In seiner Freizeit fiebert er an Hockeymatchs mit, auch geht er gerne in den Wald ins Holz, denn in seinem Haus in Ringgenberg wird mit dem Brennstoff aus den einheimischen Wäldern geheizt. Wir haben auf unserem eindrücklichen Marsch die Aussichtsstation Eigerwand erreicht. «Im Tunnel soll es ein Gespenst geben», sagt Hirschi halb im Spaß und halb ernst, «man sagt, es habe die Stollenarbeiter damals beschützt, irgendwie glaube ich daran, dass dieser gute Geist immer noch da ist.»

Rolf Hirschi usually spends his holidays in the mountains with his family. In his free time, he joins in the feverish atmosphere at ice-hockey matches and also enjoys going into woodland to gather fuel because his house in Ringgenberg is heated with wood from local forests.
We've reached the Eigerwand station after an impressive march. «It's said that there's a ghost in the tunnel,» says Hirschi, half in jest and half in earnest, adding «they say that in olden days it protected the tunnel workers. And somehow I believe that this kind spirit is still here.»

Station
EIGERWAND
2865 m 9400 ft

Die bergwärts fahrenden Züge machen jeweils einen ersten Zwischenhalt in der Station Eigerwand (2865 m). Durch die Panoramafenster können die Kleine Scheidegg und Grindelwald aus der Vogelschau besichtigt werden.

Folgende Doppelseite: Der zweite Halt erfolgt in der Station Eismeer (3158 m). Die Aussichtsplattform mit ihren Panoramafenstern ist vom Bahnsteig aus durch kurze Querstollen rasch erreichbar.

The uphill trains always make a first stop at the Eigerwand station (2865 m). The panorama windows award bird's-eye views of Kleine Scheidegg and Grindelwald.

Following double page: The second stop is at the Eismeer station (3158 m). The panorama windows are quickly reached from the railway platform via a short passageway.

Durch die Panoramascheiben halten die begeisterten Gäste die Ausblicke auf ihren Foto- und Filmapparaten fest (oben). Beim Ausstiegsfenster der Station Eismeer können befugte Alpinsportler in die Gletscherwelt hinuntersteigen (unten).

Rechte Seite: Die Eistürme und die Spalten des Unteren Grindelwaldgletschers beeindrucken die aus aller Welt angereisten Fahrgäste.

Folgende Doppelseite: Das Jungfraujoch mit Europas höchstgelegenem Bahnhof auf 3454 m ü. M. ist erreicht.

Enthusiastic guests capture the views through the panorama windows on their cameras and camcorders (above). With a special permit, Alpine sportsmen can use the exit window at the Eismeer station to climb down into the glacier world (bottom).

Page right: The ice towers and crevasses of the Lower Grindelwald Glacier make an impression on guests who have travelled here from all over the world.

Following double page: Arrival on the Jungfraujoch, with Europe's highest-altitude railway station at 3454 metres above sea level.

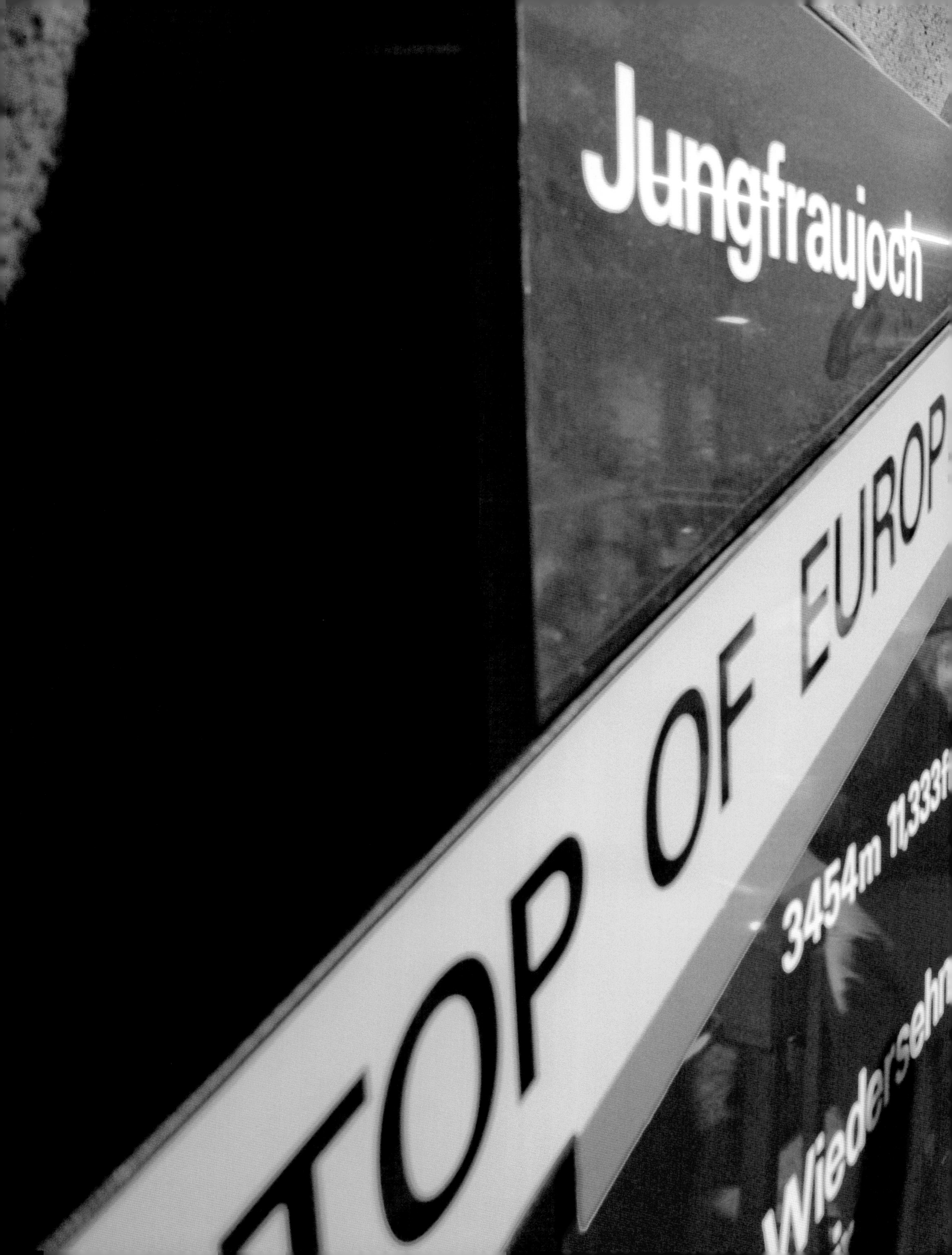

Jungfraujoch
TOP OF EUROP
3454m

205
202

Jungfraujoch – Top of Europe

Text: Werner Catrina

Touristischer Höhepunkt auf 3454 Metern über Meer
A touristic highlight at 3454 metres above sea level

Für Gäste aus Asien ist Schneegestöber im Gebirge eine Attraktion, die man enthusiastisch mit der Kamera festhält. Touristen aus Europa bevorzugen blauen Himmel und Sonnenschein.

Vorangehende Doppelseite: «Top of Europe»: eine wuchtige Landschaft aus Eis, Felsen und Schnee mit einem Vorposten der Zivilisation auf 3454 Metern über Meer.

For Asian guests, snow flurries in the mountains are an attraction to be eagerly captured on camera. Tourists from Europe prefer sunshine and blue skies.

Previous double page: Top of Europe: a stunning landscape of rock, snow and ice with an outpost of civilization at 3454 metres above sea level.

Rund 700 000 Touristen fahren jährlich auf das Jungfraujoch. Das einzigartige Ausflugsziel «Top of Europe», ein Vorposten der Zivilisation im Hochgebirge.

Die Komposition der Jungfraubahn klettert im steil ansteigenden Tunnel tief hinter der Eigerwand in Richtung Jungfraujoch. In den mit weinroten Polstern ausgestatteten vordersten Wagen sitzt eine Reisegruppe aus der japanischen Stadt Osaka in erwartungsvoller, fast feierlicher Stimmung. Die Reise auf das Jungfraujoch «Top of Europe» ist der Höhepunkt einer zweiwöchigen Europareise von London über Paris und Rom in die Schweiz. «Wir wollen uns Zeit nehmen für das Jungfraujoch», erklärt Reiseführer Kisho Hata, der mit seiner Gruppe zweimal in Interlaken übernachtet und einen ganzen Tag für die Exkursion ins Hochgebirge einplant. Auf der Kleinen Scheidegg

Around 700 000 tourists travel up to the Jungfraujoch every year. The «Top of Europe», a unique excursion destination, an outpost of civilization in the high mountains.

The Jungfrau Railway train climbs up through the steep tunnel deep behind the Eiger North Wall towards the Jungfraujoch. In the front carriage with its wine-red seats is a tour group from the Japanese city of Osaka. The atmosphere is full of anticipation, almost festive. The journey to the Jungfraujoch–Top of Europe is the highlight of a two-week tour of Europe from London via Paris and Rome to Switzerland. «We want to take time for the Jungfraujoch,» explains tour guide Kisho Hata, who is spending two nights in Interlaken with his group and has planned a whole day for this high-mountain excursion. On Kleine Scheidegg, the Japanese, who have arrived with the Wengernalp Railway, let one

ließen die mit der Wengernalpbahn ankommenden Japaner einen Zug aus und genossen im rustikalen Restaurant einen Grüntee. «Um uns zu akklimatisieren», lächelt Hata.

Es ist kein Zufall, dass im Jahr gegen 100 000 Japaner auf das Jungfraujoch reisen, denn Touristen aus Japan waren die ersten Asiaten, die in größerer Zahl zum höchstgelegenen Bahnhof Europas fuhren. Schon in den Achtzigerjahren, früher als die andern Schweizer Tourismusunternehmen, rührten die Jungfraubahnen in Nippon erfolgreich die Werbetrommel.

Im voll besetzten Zug sitzen neben individuell reisenden Schweizern auch Gäste aus andern europäischen Ländern, doch die Mehrzahl der Touristen kommt aus Japan, Indien und Südkorea. In einer großen Schleife zieht die Bahn jetzt in Richtung Station Eigergletscher, wo sich zwei Züge kreuzen. Die Kameras der Gäste sind auf Zug und Gletscher gerichtet und klicken unablässig; dann verschluckt der Berg die Komposition.

Auf Flachbildschirmen in den Wagen zieht jetzt die Geschichte der 1912 eröffneten Bahn in eindrücklichen Bildern vorüber, kommentiert in mehreren Sprachen; zur Überraschung der fernöstlichen Gruppe auch auf Japanisch.

Sechzehn Jahre hatten die Bauarbeiten gedauert, unterbrochen durch Explosionskatastrophen, mehrere Mineure starben; die Kosten liefen aus dem Ruder; mit Jahren Verzögerung erfolgte der Durchbruch 1912 vom Jungfrauhoch her, das im Kanton Wallis liegt.

train go and enjoy a cup of green tea in the rustic restaurant. «To acclimatize ourselves,» says Hata with a smile.

It's no coincidence that year after year, around 100 000 Japanese guests travel up to the Jungfraujoch. Tourists from Japan were the first Asians to travel up to Europe's highest-altitude railway station in large numbers. Jungfrau Railways began staging successful advertising campaigns in Nippon as early as the 1980s, well before the other tourism organizations.

The train is full. As well as some Swiss passengers, there are also guests from other European countries but the majority come from Japan, Indian and South Korea. The train travels in a great loop towards the Eigergletscher station, where two trains cross. Guests aim their cameras at the other train and the glacier, clicking relentlessly before their own train is swallowed up by the tunnel.

The history of the railway, which opened in 1912, now appears in impressive images on flat-screen monitors in the carriages. The commentary is in several languages and to the surprise of the Far Eastern guests, also in Japanese.

Construction work lasted sixteen years, interrupted by disastrous explosions. Many miners were killed and costs got out of hand. After many years delay, the breakthrough to the Jungfraujoch in Canton Valais was made in 1912.

Die Bernhardiner auf der Kleinen Scheidegg ertragen den Rummel mit stoischer Gelassenheit. Mit dem legendären Fässchen am Hals retten sie heute keine verirrten Berggänger mehr wie zu den Zeiten, als die Mönche die Hunde auf dem Großen St. Bernhard Pass im Wallis züchteten.

The St. Bernhard dogs on Kleine Scheidegg accept the bustle with stoicism. Wearing the legendary barrel around their necks they no longer rescue mountaineers who have lost their way, as in the days when monks bred the dogs on the Great St. Bernhard Pass in the Valais.

Roman Glanzmann, Kondukteur: Die Vertrauensperson im Hochgebirgszug

Roman Glanzmann, conductor: The contact person on the high-mountain train

Respektvoll, ja mit einem Anflug von Bewunderung zeigen die mehrheitlich asiatischen Passagiere der Jungfraubahn dem Mann in der dezenten Uniform ihre Tickets. Kondukteur Roman Glanzmann, geboren 1975 in Wilderswil, träumte als Knabe vom Beruf des Piloten, entschloss sich dann jedoch für eine Lehre im Verkauf und bildete sich später als Detailhandelsangestellter weiter. Ein Sprachaufenthalt in Amerika rüstete ihn für kommende berufliche Veränderungen und öffnete seinen Horizont. Snowboarden und Skifahren sind seine Passion, so arbeitete er im Winter als Schneesportlehrer und suchte eine Stelle für den Sommer und fand sie im Jahr 2000 bei der Jungfraubahn, wo er als Kondukteur arbeitete. Einige Wintersaisons stand er als Schneesportlehrer weiter im Einsatz, dann entschloss er sich, inzwischen verheiratet, für eine ganzjährige Anstellung. «Die Jungfraubahn bietet Sicherheit des Arbeitsplatzes, Weiterbildungskurse und gute Sozialleistungen», lobt Glanzmann.

In japanischer Sprache wird gerade eine Ansage ab Band durchgegeben, dann erscheinen auf den Bildschirmen im Zug die Bauten auf dem Joch mit der Sphinx-Kuppe hoch über dem Aletschgletscher. Glanzmann hat Zeit für ein kurzes Gespräch. Die Arbeit sei anspruchsvoll, räumt er ein, mit den unterschiedlichsten Gästen aus so vielen Ländern umzugehen, sei nicht immer leicht. «Probleme mit der Höhe gehören hier fast zum Alltag; denn manche Gäste fahren direkt vom Flughafen auf das Jungfraujoch», weiß er, «einige haben Kopfschmerzen, andern wird es übel.» Die Zugbegleiter und Lokführer absolvieren Kurse als Nothelfer und sind in der Lage, sogar Herzmassagen durchzuführen. Der Kondukteur ist die sichtbare Autoritäts- und Vertrauensperson im Zug. Er wird fotografiert und bei Problemen als Erster um Hilfe gefragt.

Die meisten Fahrgäste haben ein gültiges Ticket, doch in der Jungfraubahn ist es sogar möglich, ein Billet mit Anschlussticket für alle SBB-Destinationen in der Schweiz zu kaufen.

Immer wieder leiden Gäste unter Platzangst, da sie keinen so langen Tunnel erwartet haben. Die ruhige Präsenz des Kondukteurs hilft, die rund sieben Kilometer im Tunnel zu überbrücken. Die Talfahrt bringt im Übrigen weniger Zwischenfälle, da manche Touristen einnicken und schlafen.

Kürzlich stieg ein asiatischer Gast bei der Station Eigergletscher aus dem Zug, um Fotos zu machen. Er vergaß sich dabei derart, dass er die Abfahrt des Zuges verpasste, in dem sein fünfjähriger Sohn saß. Eine halbe Stunde später konnte er das Kind überglücklich auf dem Jungfraujoch in die Arme schließen. «Für den Vater war das Abenteuer wohl schlimmer als für sein Kind», sagt Glanzmann.

Bei schönem Wetter kann es auf der Kleinen Scheidegg zu einem

The mostly Asian passengers on the Jungfrau Railway present their tickets to the man in the neat uniform with respect, with even a touch of admiration. As a boy, conductor Roman Glanzmann, born in Wilderswil in 1975, dreamed of becoming a pilot, but then decided to train in sales and later completed an apprenticeship in retailing. A language study trip in America equipped him for a change of career and opened his horizons. His passions are snowboarding and skiing and so in winter he worked as a snow-sport instructor and looked for a summer job. In 2000, he found this as a conductor on the Jungfrau Railway. He spent several more seasons working as a snow-sport instructor before, now married, he decided on an all-year-round position. «The Jungfrau Railway offers a secure workplace, further training courses and good social benefits,» praises Glanzmann.

A recorded announcement is made in Japanese and then the building with the Sphinx dome on the Joch, high above the Aletsch Glacier, appears on screens in the train carriage. Glanzmann has time for a short talk. He admits the work is demanding as it's not always easy to deal with the wide variety of guests from so many different countries. «Altitude problems are almost part of daily routine here. Many guests come straight from the airport to the Jungfraujoch. Some get a headache, others feel dizzy,» he says. Conductors and train drivers attend first-aid courses and are even trained to carry out heart massage. The conductor is the visible face of authority and the contact person on the train. He is the subject of numerous photographs and the first one to be asked for help should problems arise.

Most passengers already have a valid ticket but a connecting ticket for all Swiss Federal Railways (SBB) destinations in Switzerland can be bought on the Jungfrau Railway.

Time after time, guests who have not anticipated travelling through such a long tunnel suffer from claustrophobia. The calming presence of the conductor helps them cope with the around seven-kilometre trip in the tunnel. Incidentally, fewer incidents occur on the way down as most passengers fall asleep.

Recently, an Asian guest got out of the train at the Eigergletscher station to take some photos. He was so engrossed that he missed the departure of the train, in which his five-year-old son was sitting. Some thirty minutes later, he was overjoyed to take his son in his arms on the Jungfraujoch. «The experience was far worse for the father than for his little boy,» said Glanzmann.

Good weather can lead to a rush for the Jungfrau Railway trains on Kleine Scheidegg as the station has half-hourly arrivals from both Lauterbrunnen und Grindelwald. Groups with reservations always take priority, a situation that can lead to irritation amongst day tourists when they have to wait for the next train. However, positive

Ansturm auf die Züge kommen, denn die Jungfraubahn wird von zwei Seiten mit den Linien aus Lauterbrunnen und Grindelwald im Halbstundentakt bedient. Angemeldete Gruppen mit Reservation haben unter allen Umständen Vortritt, was bei den Tagestouristen zu Unmut führt, da sie auf den nächsten Zug warten müssen. Die positiven Erlebnisse überwiegen jedoch bei Weitem, und immer wieder hört der Kondukteur Lob über die einzigartige Bahn und begeistere Kommentare zur großartigen Berglandschaft.
Täglich absolvieren die Kondukteure bis zu vier Retourfahrten von der Kleinen Scheidegg aufs Jungfraujoch und zurück. Nach jeder Fahrt muss der Kondukteur die Abfälle im Zug einsammeln. Manchmal ergeben sich für die Zugsbegleiter auf dem Jungfraujoch Wartezeiten, weil man erst auf der nächsten oder übernächsten Komposition ins Tal fährt. «Doch dann», sagt Glanzmann

experiences are by far in the majority and the conductor repeatedly hears praise for the unique railway and enthusiastic comments about the spectacular Alpine scenery.
Every day, the conductor makes up to four return trips between Kleine Scheidegg and the Jungfraujoch and after each journey has to collect the rubbish left in the train. Waiting times on the Jungfraujoch can sometimes occur for the conductor because he is scheduled to travel back to Kleine Scheidegg on the next or next-but-one composition. «But then we help with loading the trains or make ourselves useful in other ways,» says Glanzmann.
In winter, the conductors carry out thorough cleaning of the train compositions in the depot on Kleine Scheidegg, each taking around one week. With a total of

«helfen wir beim Beladen von Zügen oder machen uns anderweitig nützlich.»
Im Winter besorgen die Zugbegleiter im Depot auf der Kleinen Scheidegg die intensive Reinigung der Zugskompositionen, die jeweils ungefähr eine Woche dauert. Die Jungfraubahnen mit ihren insgesamt 650 Mitarbeitenden funktionieren mit durchdachter Organisation und Teamgeist wie ein Uhrwerk.
Roman Glanzmann, «stolzer Vater zweier Kinder», wie er sagt, lebt in Wengen.
Auch die Nordsee hat es dem Bergler angetan, und mehrmals schon bereiste er die USA. Doch die Freizeit verbringt er mit seiner Familie am liebsten in der Natur des Berner Oberlandes. Mit einem Leuchten in den Augen fügt er noch an: «Und hier in den Bergen erlebe ich auch jedes Jahr die Hochjagd.»

650 employees, Jungfrau Railways functions like clockwork thanks to meticulous organization and team spirit.
Roman Glanzmann, as he says «the proud father of two children», now lives in Wengen. The man from the mountains is keen on the North Sea and has travelled in the USA several times, but prefers to spend his free time with his family in the Bernese Oberland natural world. With a gleam in his eye he adds: «And I always join in the annual hunting season here in the mountains.»

Fünf Minuten für die Eiger-Nordwand
Der Zug hält bei der Station Eigerwand; fünf Minuten Zeit, um in den schauerlichen Abgrund zu blicken, an dem viele Bergsteiger ihr Leben riskierten. Der Blick geht weit in die Tiefe nach Grindelwald, dessen Hotels aus dieser Perspektive klein wie Zündholzschachteln wirken; auf der andern Talseite ragt das Brienzer Rothorn auf.

Noch bleiben drei viertel Stunden Fahrt im Felsentunnel, als Geräuschkulisse ein monotones, abgedämpftes Rumpeln. Der nächste Halt ist die Station Eismeer mit Blick auf die weißblaue Szenerie des Unteren Grindelwaldgletschers. Wie zyklopische Zuckerwürfel liegen die Eistrümmer unter den Felsen. Was einst nur verwegene Bergsteiger sahen, versetzt heute Menschen aus aller Welt in Staunen; eine Traumlandschaft, als wär's auf einem fernen Planeten. Die Pioniere von damals richteten auf Eismeer ein Restaurant und sogar ein Postbüro ein. Beides ist längst Geschichte; heute geben Panoramafenster den Blick auf die Eislandschaft frei. Über die modernen, hellen Toiletten hier im Fels würden sich die Vorfahren wundern.

Die dreihundert Passagiere sitzen wieder im roten Zug, der sich dem hochalpinen Bahnhof nähert. Die Steigung von 25 Prozent ist nur mit robuster Zahnradtechnik zu bewältigen; auf jedem einzelnen Stahlzahn lastet ein Gewicht von fünf Tonnen. Nach der Tunnelfahrt verlassen die Menschen den Zug, einige wirken in der dünnen Luft benommen, Scharen von Touristen durchqueren die offene Halle, magnetisch angezogen vom Bergpanorama mit dem Aletschgletscher.

Die Gruppe aus Japan hat zwei Stunden Zeit, um das Jungfraujoch zu erleben und sich zu verpflegen. Die Inder, oft Großfamilien mit Kindern, lassen sich noch mehr Zeit, denn der Schnee und das Schauspiel des Nebels faszinieren die Menschen aus den Subtropen. Gäste aus Korea planen dagegen oft nur gerade eine Stunde ein, da ihre Europareisen sehr eng choreografiert sind.

Five minutes for the Eiger North Wall
The train makes a five-minute stop at the Eigerwand (Eiger Wall) station to give passengers the chance to gaze down into the terrifying abyss above which so many mountaineers have risked their lives. Views extend down as far as Grindelwald, its hotels appearing as tiny as matchboxes from this perspective. In the distance, the Brienzer Rothorn towers above the peaks on the other side of the valley.

There are still another 45 minutes to travel in the rock tunnel, with a dampened monotone rumbling as background noise. The next stop is at the Eismeer (Sea of Ice) station with views of the blue-white scenery of the Untere Grindelwaldgletscher (Lower Grindelwald Glacier). Blocks of ice lie like Cyclopean sugar lumps beneath the cliffs. What was once reserved for the eyes of mountain climbers now astonishes people from all over the world: a dream landscape as if on a far-distant planet. The pioneers from the early days set up a restaurant and even a post office at the Eismeer station. Both have long been history: today panorama windows open up views of a landscape of ice. Our forefathers would now be amazed by the bright and modern WCs built into the rock.

The three hundred passengers are back in the train, which is now approaching the high-Alpine railway station. The 25 per cent gradient can only be mastered by robust cogwheel technology; every steel tooth bears a load of five tons. People leave the train after their trip through the tunnel, a few seeming a little dizzy in the thinner air. Flocks of tourists cross the open hall, drawn as if by a magnet to the mountain panorama with the Aletsch Glacier.

The group from Japan has two hours in which to experience the Jungfraujoch and have something to eat. Indians, often large families with children, give themselves more time: the snow and spectacle of fog hold a fascination for these people from the sub-tropics. In contrast, Korean guests often plan only a one hour stay as their European tours are choreographed to a very tight schedule.

Auf der Station Eismeer der Jungfraubahn geben riesige Panoramascheiben den Blick frei auf den Eisbruch des Unteren Grindelwaldgletschers. Wo die Touristen aus aller Herren Länder auf der kilometerlangen Fahrt durch den Fels heute nur für wenige Minuten Halt machen, konnte man sich in der Gründerzeit der Bahn in einem Restaurant verpflegen.

At the Eismeer station of the Jungfrau Railway, huge panorama windows afford uninterrupted views of the ice masses on the Lower Grindelwald Glacier. Where in the early days of the railway guests could enjoy refreshments in a restaurant, tourists from all over the world now make only a stop of a few minutes on their kilometres-long journey through the rock.

Diskret schmiegen sich die Anlagen des «Top of Europe» an den Berg, ein Großteil der Infrastruktur liegt im Innern des Felsens. Obwohl hier täglich bis zu 5000 Menschen ankommen, wirken die Bauten vor der Kulisse des mächtigen Gipfels des Mönchs klein.

The «Top of Europe» complex blends discreetly into the mountain with most of the infrastructure located inside the rock. Although up to 5000 people arrive here every day, the buildings appear tiny against the towering backdrop of the Mönch.

Vom «Haus über den Wolken» zum modernen Touristikzentrum

Die Anlagen auf dem Jungfraujoch sind heute zu einem hochmodernen Servicekomplex ausgebaut. Das war nicht immer so. 1912, mit der Eröffnung der Bahn, weihte man ein einfaches Touristenhaus mit dem höchstgelegenen Restaurant Europas ein, 1924 eröffnete die Jungfraubahn das legendäre «Haus über den Wolken», angeschmiegt an den Felsen über dem Aletschgletscher, ein Gasthaus mit Giebeldach und elegantem Jugendstil-Saal mit großzügigem Vestibül, fast wie in einem Grand Hotel. In den einfachen, gemütlichen, holzgetäferten Schlafzimmern mit zwei hintereinander gestellten Betten, mit Waschbecken und Krügen auf dem Nachttisch nächtigten die Gäste aus aller Welt. Am 21. Oktober 1972 dann die Katastrophe: Ein Großfeuer äscherte das «Haus über den Wolken» ein. Die Bahn als Besitzerin richtete eine provisorische Herberge ein und nahm die Planung des Neubaus an die Hand. Im Trend der Zeit favorisierte man ein futuristisches Gasthaus in Form eines gläsernen Kristalls oben auf dem Grat. Die Naturschutzorganisationen reagierten mit heftiger Ablehnung. Auch das breite Publikum konnte sich mit dem exponierten Fremdkörper nicht anfreunden. So baute man schließlich das von Ernst E. Anderegg entworfene, diskret in den Hang eingefügte «Top of Europe», das am 1. August 1987 den Betrieb aufnahm. Man erwartete in Zukunft 350 000 Gäste im Jahr und maximal 3500 pro Tag; Zahlen, die sich seither um mehr als ein Drittel erhöhten.

Die Gruppe aus Osaka durchwandert jetzt den in den rohen Fels gehauenen Tunnel zum 130 Meter hohen Sphinx-Lift, der sie rasant zur Sphinx-Terrasse hievt. Bei klarer Sicht und heftigem Wind segeln die Bergdohlen in Erwartung eines Bissens vorbei. Weit unten der Aletschgletscher, der größte Eisstrom der Alpen. Ein internationales Volk in allen Hautfarben gibt sich hier oben ein Stelldichein, Hindi mischt sich mit Französisch, Schweizerdeutsch, Englisch und Japanisch. Der frische Wind lässt die Saris flattern.

From «The House above the Clouds» to a modern tourism centre

The facilities on the Jungfraujoch have now been developed into a top-modern service complex. This was not always the case. In 1912, the opening of the railway also coincided with the opening of a simple tourist lodge housing Europe's highest-altitude restaurant. In 1924, the Jungfrau Railway opened the legendary «House above the Clouds», which seemed to cling to the rocks above the Aletsch Glacier. A guest house with a gable roof and an elegant art-nouveau dining room with a spacious vestibule, almost as if in a grand hotel. Guests from all over the world stayed in simple and cosy, wood-clad rooms with two beds one behind the other and wash bowls and water jugs on bedside tables. The catastrophe happened on 21st October 1972: the «House above the Clouds» was completely destroyed by a huge fire. The railway, as the owner, set up a temporary hostel and got to grips with planning a new building. In line with the trend at that time, plans favoured a futuristic guest house in the shape of a glazed crystal on the ridge. Nature conservation organizations reacted with vehement opposition and the general public was also unable to accept the idea of an exposed alien element. And so the «Top of Europe» was built, designed by local architect Ernst E. Anderegg and integrated discreetly into the slope. It was opened on 1st August 1987. An annual total of 350 000 guests was expected, a maximum of 3500 per day; figures which since then have increased by far more than one third.

The group from Osaka now walk through the tunnel hewn from the bare rock to reach the Sphinx lift, which carries them swiftly up the 130 metres to the Sphinx terrace. In clear weather and strong winds, mountain choughs glide past hoping for a titbit or two. Far below is the Aletsch glacier, the longest ice-stream in the Alps. People of all nationalities and skin colours meet up here. Hindi mixes with French, Swiss-German, English and Japanese. Saris flutter in the fresh breeze.

Das 1912 – nach der Bauzeit des Tunnels – erstellte «Touristenhaus» mit der rustikalen Gaststube bildete damals den vorläufigen Abschluss des Werkes (linke und rechte Seite oben). Das «Haus über den Wolken», wie ein Schwalbennest hoch über dem Aletschgletscher, war das höchste Berghaus Europas (rechte Seite unten). Das weltberühmte Hotel überraschte mit einem eleganten Jugendstil-Speisesaal, in den kargen, aber gemütlichen Zimmern mit Waschkrügen gab es sogar elektrisches Licht (linke Seite Mitte und unten). 1972 brannte das legendäre Gasthaus ab. Nach Jahren in einem Provisorium konnte der Neubau 1987 eingeweiht werden.

Built in 1912 after completion of the tunnel, the Tourist Lodge with its rustic restaurant then formed the temporary finish of the work (above left & right). The House above the Clouds, as it was known, nestled like a swallow's nest high above the Aletsch Glacier, and was the highest-altitude mountain guest house in Europe (bottom right). The world-famous hotel surprised guests with an elegant dining room in art-nouveau style, simple but comfortable rooms with washbowls and jugs, and even electric light (middle and bottom left). In 1972, the legendary guest house was totally destroyed by fire. After temporary facilities were used for many years, the new building was officially opened in 1987.

Die abenteuerliche Fahrt auf das Jungfraujoch war damals ein Muss für weltgereiste Menschen, die Florenz ebenso selbstverständlich besuchten wie New York. Noch war die Zeit des Massentourismus fern. Die Titelseite der hochklassigen Werbebroschüre aus den Gründerjahren der Jungfraubahn hat der berühmte Grafiker Emil Cardinaux gestaltet (oben).

At that time, the adventurous trip to the Jungfraujoch was a must for well-travelled people, for whom visits to Florence as well as New York were a matter of course. The era of mass tourism was still in the distant future. The front page of the upmarket advertising brochure from the founding years of the Jungfrau Railway was designed by acclaimed graphic artist Emil Cardinaux (above).

Ü.M.
ALETSCHGLETSCHER

Mehrere Restaurants

Der Eispalast, eine künstliche Eisgrotte tief im Fels des Jungfraujochs, ist ein weiterer Höhepunkt des Ausfluges ins Hochgebirge. Die Reisegruppe aus Osaka nimmt sich Zeit für das surreale, kalte Labyrinth mit seinen kristallen wirkenden Eisskulpturen. Vor einer Gruppe mächtiger, aus Eis modellierter Adler klicken die Kameras, in einer Nische noch tiefer im kalten Labyrinth umlagert eine Schar ausgelassener Kinder in dicken Jacken den aus einem Eisblock gehauenen Eisbären. Niemand ahnt hier, dass diese magische Grotte wegen der Ausdünstung von Tausenden Besuchern künstlich auf minus drei Grad klimatisiert wird.

Für die Söhne und Töchter Nippons ist es jetzt Zeit für das helvetische Mittagessen im Gruppenrestaurant mit Panoramablick auf den Aletschgletscher und die umgebenden Gipfel. Beim Aufenthalt in dünner Luft werden die Touristen speditiv und freundlich verpflegt; eine multikulturelle Schar von Mitarbeitern auf dem höchsten permanenten Arbeitsplatz Europas weiß, dass die Zeit der Touristen knapp ist.

Curryduft zieht durch das Restaurant Bollywood, wo sich die indischen Gäste am Buffet mit einheimischen Spezialitäten stärken. Die Inder sind ein wachsendes Gästesegment der Jungfraubahnen. Sie reisen gerne von Mitte April bis September nach Europa, wenn in ihrem Land die Hitze am größten ist, was sich hervorragend in die teilweise frequenzschwache, wettermässig durchzogene Zwischensaison im Berner Oberland fügt. «Die indischen Gäste scheinen auch das Hudelwetter richtig zu genießen», hat Martin Soche, Wirt auf dem Jungfraujoch, beobachtet, «ganz im Gegensatz zu den europäischen Besuchern, die sich Sonnenschein und blauen Himmel wünschen.»

Die Gruppe von Reiseführer Kisho Hata muss nicht lange auf das Essen warten, denn die Mitarbeitenden in Küche und Service sind ein eingespieltes Team. Rund sechzig Personen arbeiten im Sommerhalbjahr in den Restaurants und den Küchen auf dem Jungfraujoch und auf Eigergletscher, im frequenzschwächeren Winter sind es

Several restaurants

The Ice Palace, a man-made ice grotto deep in the glacier ice of the Jungfraujoch is another highlight of this high-mountain excursion. The travel group from Osaka take their time in this chilly, surreal labyrinth with its crystalline ice sculptures. Cameras click in front of a group of mighty eagles carved from ice, in a niche even deeper in the cold labyrinth, a bunch of boisterous children in thick jackets crowd around polar bears hewn from a block of ice. No one here would guess that this magical grotto has to be artificially air-conditioned to minus three degrees because of the heat generated by the thousands of visitors.

For the sons and daughters of Nippon, it is now time for a Helvetic lunch in the group restaurant with panoramic views of the Aletsch Glacier and the surrounding peaks. The tourists are served with friendly efficiency during their stay in the thinner air; the multi-cultural team of employees on the highest-altitude permanent workplace in Europe are well aware that the tourists are on a tight time schedule.

The appetizing aroma of curry wafts through the Restaurant Bollywood, where Indian guests fortify themselves with their national specialities. Indians are a growing guest segment of Jungfrau Railways. They like to travel to Europe from mid-April to September when the heat in their country is at its height, something that fits in well with the in-part poorly frequented low season in the Bernese Oberland with its changeable weather. Martin Soche, the host on the Jungfraujoch, has noticed that Indian guests seem to really enjoy bad weather, quite in contrast to European visitors, who want sunshine and blue skies.

Travel guide Kisho Hata's group do not have to wait long for their meal because the kitchen and service staff are a practiced team. Around sixty people work in the restaurants and kitchens on the Jungfraujoch and Eigergletscher in the six summer months, around half that number in the less busy winter months. A total of 300 000 meals are prepared every year. The kitchen and restaurant staff

halb so viele; insgesamt werden 300 000 Essen im Jahr zubereitet. Die Mitarbeitenden in Küchen und Restaurants stammen aus mehreren Nationen und stehen zum Teil schon seit Jahren in der Hochgebirgsgastronomie im Einsatz. Der Tagesablauf unterscheidet sich jedoch beträchtlich von der Arbeit in einem Betrieb im Tal. Flexibilität und Teamgeist sind bei den extremen Betriebsspitzen am Mittag wichtig. Am Nachmittag ist der Sturm vorüber, und man sieht Kellner Scheiben putzen und Köche Gemüse ausladen.

Acht Stunden täglich, inklusive des bezahlten Arbeitswegs, wird gearbeitet, dies bei fünf Wochen Ferien. Francis Poon, ein Hong-Kong-Chinese, bedient die Gäste mit einem strahlenden Lächeln und erklärt in lupenreinem Hochdeutsch: «Ich bin in Berlin aufgewachsen, mir gefällt die Arbeit da oben, ich arbeite schon über zehn Jahre auf dem Jungfraujoch.» Alle Mitarbeiter in Küche und Service übernachten im Tal, weil man in großer Höhe weniger gut schläft und sich nicht richtig erholt.

Dass das Jungfraujoch kein gängiger Arbeitsplatz ist, führen Stürme immer wieder vor Augen. Am gewaltigsten fegte «Vivian» mit gegen 260 Stundenkilometern über das Joch und lehrte Mitarbeitende wie Touristen das Fürchten. Der Service musste abrupt beendet werden, weil die Gäste sofort ins Tal reisten und der Bahnbetrieb dann eingestellt wurde. Doch alle Bauten hielten den Naturgewalten ohne Schaden stand. Die Sicherheitsbeauftragten der Bahn schließen bei Sturm alle Türen und machen die exponierten Gebäude wetterfest.

come from various nations, some have worked in the high-mountain restaurant business for many years. The daily routine up here differs considerably to that in a business down in the valley. Flexibility and team spirit are essential at lunchtime peak periods. But by afternoon the rush is over and waiters can be seen cleaning windows, cooks unloading vegetables.

The working day is eight hours long including paid travelling time, with five weeks annual holiday. Francis Poon, a Hong Kong Chinese, beams as he serves guests and explains in flawless high-German: «I grew up in Berlin. I love the work up here, I've now been working on the Jungfraujoch for over ten years.» All kitchen and service employees return to the valley at night because people sleep less well at high altitudes and do not get proper rest.

The fact that the Jungfraujoch is no ordinary workplace is repeatedly demonstrated by storms. The most powerful, Vivian, swept over the Joch with winds of up to 260 km/hr and frightened the life out of employees and tourists alike. Service had to come to an abrupt halt because guests at once travelled back to the valley and railway operations were then suspended. However, all buildings withstood the force of nature without damage. In times of storm, those responsible for the safety of the railway secure all doors and make the exposed buildings weatherproof.

Brigitte und Martin Soche, Wirte auf Jungfraujoch und Eigergletscher: Bratwürste und indisches Buffet

Brigitte and Martin Soche, hosts on the Jungfraujoch and Eigergletscher: Swiss bratwurst sausages and Indian buffets

«Wir hätten nie gedacht, dass wir einmal auf dem Jungfraujoch wirten würden!», sagen Martin und Brigitte Soche, die sich in den Achtzigerjahren im Gastgewerbe in Graubünden kennenlernten. Er fühle sich im Gastgewerbe an der Front wohl, erklärt der gebürtige Wiener; seine im Berner Dorf Ersigen aufgewachsene Frau bevorzugt die kaufmännische Arbeit, ein perfektes Team! In Sigriswil am Thunersee arbeitete Martin Soche in einer Führungsposition in einem Hotel mit Sicht auf das mächtige Dreigestirn Eiger, Mönch und Jungfrau. «Am Abend sahen wir das Licht auf dem Joch», erinnert sich Soche, «und jetzt arbeiten wir hier!»
Bevor es so weit war, führten die beiden in Interlaken während eines Jahrzehnts das Restaurant Des Alpes als Pächter. Als sie 2009 vom bevorstehenden Gerantenwechsel in der Hochgebirgsrestauration hörten, meldeten sie sich und bekamen den Zuschlag. «Wir haben hervorragende Mitarbeiter», lobt Frau Soche, «einen großen Teil übernahmen wir vom früheren Pächter Urs Zumbrunn, einige der insgesamt fünfzig Mitarbeitenden kamen vom Restaurant Des Alpes mit.»
Eine große Herausforderung ist bei diesem außergewöhnlichen Restaurationsbetrieb die Logistik, müssen doch alle Nahrungsmittel und Getränke aus dem 3000 Höhenmeter tiefer liegenden Interlaken herauftransportiert werden. «Fehlt ein Gewürz, kann man es nicht einfach rasch im Laden an der Ecke holen», sagt Martin Soche, «deshalb ist eine professionelle Bewirtschaftung unserer Vorräte so wichtig.» Während der Chef beim Souvenir Shop nahe der Kaffee-Bar aus dem beruflichen Leben berichtet, füllt sich der lichte Raum innert Minuten mit Koreanern, die aus dem hochalpinen Bahnhof zu den großen Fenstern eilen, um das Panorama zu fotografieren; eine wichtige Trophäe ihres Europatrips.
«Koreanische Gruppen haben auf dem Joch oft nur eine Stunde eingeplant», weiß der Wirt, «und da reicht es dann nur für eine Nudelsuppe im Coffee Shop.» Reisegruppen sind für die Restaurants hier oben entscheidend wichtig, doch um diese Gäste aus aller Welt zufriedenzustellen, muss der Wirt die Vorlieben seiner Gäste kennen. Zudem ist ein exaktes Timing wichtig, damit Besucher, die bereits am selben Abend nach Paris fliegen werden, auf dem Jungfraujoch nicht auf ihren Lunch warten müssen.
Gruppen aus Malaysia, Japan oder Singapur bleiben in der Regel zwei Stunden oben und essen gerne zum Beispiel eine Bratwurst mit Teigwaren; zum Abschluss gibt's einen Dessert mit Schweizerfähnchen. Fondues werden von den Gästen aus Asien meist nur zum Probieren bestellt, wie Martin Soche weiß, da reiche eine einzige Portion für bis zu fünf Personen.
Für die indischen Gäste ist eigens das Restaurant Bollywood eingerichtet worden, wo am Buffet für die verschiedenen Glaubensrichtungen indische Speisen angebo-

«It never entered our minds that we would one day be hosts on the Jungfraujoch!,» say Martin and Brigitte Soche, who met in the 1980s while working in the hospitality industry in Graubunden. Born in Vienna, Martin Soche says that he feels at home working on the front in the hospitality industry. His wife, who grew up in the village of Ersigen in Canton Berne prefers working in the back office: a perfect team! In Sigriswil above Lake Thun, Martin Soche held a managerial position in a hotel with views of the mighty Eiger, Mönch and Jungfrau. «In the evening we could see the light on the Joch,» recalls Soche, «and now we're working here!»
But before that happened, the two spent a decade as tenants managing the Restaurant Des Alpes in Interlaken. In 2009, when they heard of the coming change of management in the high-Alpine restaurants, they applied for the position and were accepted. «We have outstanding employees,» praises Brigitte Soche. «We were able to take over most from the previous tenant Urs Zumbrunn and a few of our 50 members of staff came with us from the Restaurant Des Alpes.»
Logistics pose a huge challenge in this extremely unusual restaurant operation. All foodstuffs and drinks have to be transported up from Interlaken, some 3000 metres lower down. «If we run out of a spice, we can't simply get it from the corner shop so professional stock management is essential,» says Martin Soche. As the manager is talking about his professional life while standing at the souvenir shop near to the coffee bar, the bright room suddenly fills with Korean guests hurrying from the high-Alpine railway station to photograph the panorama; an important trophy from their European trip.
Soche knows that Korean groups often have only a one-hour stop scheduled on the Joch «and that's only enough time for a noodle soup in the coffee shop.» Travel groups are of vital importance for the restaurants up here but the host must be familiar with the preferences of his guests to be able to satisfy such a varied international clientele. Precise timing is also crucial, so that visitors who are flying to Paris the same evening do not have to wait for their lunch on the Jungfraujoch.
Groups from Malaysia, Japan and Singapore generally spend two hours up here. A favourite meal is for example bratwurst sausage with noodles, followed by a dessert decorated with Swiss flags. Asian guests usually only order fondue in order to taste it, so Martin Soche knows that one portion is enough for up to five people.
The Restaurant Bollywood was specially set up for Indian guests and has a buffet with Indian dishes catering to the country's different religious faiths. Indians like to travel up to the Jungfraujoch in April and May, often with their children. They love fog and snow flurries and spend longer on the mountain than other Asian guests.
«The majority of European guests come as individuals and prefer the Restaurant Crystal with table service and a selection of choice menus, or the self-service restaurant,» says Martin Soche. On peak

ten werden. Inder reisen gerne im April oder Mai aufs Jungfraujoch und oft mit ihren Kindern. Sie lieben Nebel und Schneegestöber und bleiben länger als andere asiatische Gäste auf dem Berg.
«Europäische Gäste kommen mehrheitlich individuell und bevorzugen das Bedienungsrestaurant Crystal mit einer feinen Auswahl an Menüs oder das Selbstbedienungsrestaurant», sagt Martin Soche. An Spitzentagen fahren bis zu 5000 Gäste aufs Jungfraujoch, eine gewaltige Herausforderung für Küche und Service.
«Der Betrieb ist außerordentlich lebhaft», kommentiert Brigitte Soche im Restaurant Eigergletscher bei Kaffee und der unwiderstehlichen Rahmschnitte. Im nahen Büro ist die Administration für alle Restaurants untergebracht, wo die Wirtin und ihre bewährte Assistentin Monika Linder im Einsatz sind. Die Jungfraubahn stellt dem Pächterpaar in der Station Eigergletscher eine Wohnung zur Verfügung. Jetzt, wo die beiden Söhne und die Tochter selbstständig sind, können die Eltern wenn nötig hier oben abends länger arbeiten und auch übernachten. Auf Eigergletscher gibt es auch eine Confiserieproduktion, wo Schokoladespezialitäten wie zum Beispiel die beliebten «Eigerspitzli» hergestellt werden.
Im Winter um 16.40 Uhr und im Sommer eine Stunde später fährt der letzte Zug vom Jungfraujoch auf die Kleine Scheidegg, und dann ist Lichterlöschen in allen Restaurants, denn auch das Personal fährt zu Tal. Außer bei den sommerlichen Konzerten einmal im Monat, die Kulturfan Martin Soche auf Eigergletscher einführte. Nach schmissiger Berner Oberländer Volksmusik, sinnlichem Jazz oder Blues fährt ein Sonderzug mit fröhlichen Menschen ausnahmsweise um 21 Uhr talwärts.

days, up to 5000 guests travel up to the Jungfraujoch, an enormous challenge for the kitchen brigade and service staff.
«The business is extraordinarily lively,» comments Brigitte Soche, sitting in the Restaurant Eigergletscher with a coffee and an irresistible cream slice. The administration of all the restaurants is carried out in the nearby office, the workplace of Brigitte Soche and her seasoned assistant Monika Linder.
The Jungfrau Railway has made an apartment at the Eigergletscher station available to the tenant pair. Now that their two sons and one daughter have grown up, if necessary they can work later in the evening and also spend the night there. Eigergletscher is also the site of a confiserie, where chocolate specialities including the popular Eigerspitzli are produced.
In winter, the last train leaves the Jungfraujoch for Kleine Scheidegg at 16.40 pm, in summer one hour later. Then it's lights out in all the restaurants because all personnel travel back down to the valley. One exception is made after the once-monthly summer concerts that culture fan Martin Soche has introduced on Eigergletscher. Then, a special train departs at 21.00 pm, full of happy people who have enjoyed an evening of toe-tapping Bernese Oberland folk music, inspiring jazz or cool blues.

Ökologisch vorbildlich

«Top of Europe» auf dem Jungfraujoch ist ein extrem frequentierter Vorposten der technischen Zivilisation im Hochgebirge. Bis zu 5000 Menschen täglich erleben diesen einzigartigen Aussichtspunkt, der allen Ansprüchen an Komfort und Sicherheit gerecht wird; mehr Besucher verkraftet das Jungfraujoch nicht, weshalb das Management der Bahn den Zustrom an schönen Tagen kontingentiert.

Auf dem Joch werden 13 Millionen Liter Wasser im Jahr verbraucht, das man früher zum Teil als Quellwasser in Tankwagen von der Kleinen Scheidegg nach oben transportierte. Ab 2012 wird das Quellwasser in einer neuen Pipeline auf das Jungfraujoch gepumpt. Ein Teil des benötigten Wassers wird nach wie vor aus geschmolzenem Schnee gewonnen. Das Schmutzwasser gelangt über eine siebzehn Kilometer lange Leitung in die Kläranlage nach Grindelwald, der Kehricht wird mit speziellen Bahnwagen nach Interlaken spediert.

Umweltschonendes Energiemanagement wird großgeschrieben, weshalb man die Abwärme aller Anlagen systematisch nutzt. Auch beim Herunterkühlen des Eispalastes entsteht Abwärme, mit der man Räume auf dem Jungfraujoch heizt. Durch die Felsnadel, auf der das Sphinx-Gebäude steht, führt ein Liftschacht, der wie ein Wärmekamin wirkt, weshalb man das umgebende Gestein technisch herunterkühlen muss, damit es nicht zerbröselt. Ein künstlicher Permafrost, bei dem ebenfalls Abwärme entsteht, die man zum Aufheizen von Wasser benutzt. Praktisch die gesamte zugeführte Energie für den Betrieb der Bahn und die vielfältigen Anlagen auf dem Jungfraujoch ist Elektrizität aus Wasserkraft; und dies seit hundert Jahren!

Sämtliche Bauten auf dem Jungfraujoch sind mit Liften erschlossen und rollstuhlgängig; einmalig auf 3454 Metern über Meer! Für Sicherheit sorgt ein modernes Gebäudeüberwachungssystem. Fühlt sich ein Gast in der Höhenluft nicht wohl, kann er einen der aufs ganze Areal verteilten roten Knöpfe drücken; rasch ist ein Sanitäter zur Stelle. Die Schwächeanfälle sind nicht selten

Ecological role model

The Jungfraujoch-«Top of Europe» is an extremely well-frequented outpost of technical civilization in the high mountains. Up to 5000 people per day experience this unique vantage point, which satisfies all demands in terms of comfort and safety. It would be impossible for the Jungfraujoch to cope with more visitors, which is why the management limits guest numbers on fine days.

A total of 13 million litres of water is used on the Joch every year. At one time, this came partly from spring water transported up from Kleine Scheidegg in railway tankers. From 2012, spring water will be pumped up to the Jungfraujoch in a new pipeline. Part of the water needed will continue to be sourced from melted snow. Wastewater flows through a seventeen kilometres long pipeline to the treatment plant in Grindelwald and refuse is taken down to Interlaken in special railway wagons.

Environmentally-friendly energy management is a top priority and thus waste heat from all facilities is systematically used. Waste heat generated from cooling the Ice Palace is used to heat areas on the Jungfraujoch. The lift shaft through the pinnacle on which the Sphinx building stands acts as a thermal chimney, and so the surrounding rock must be cooled by technical means to prevent it from crumbling. This man-made permafrost also generates heat, which is then used to heat water. Almost all the energy supplied to run the railway and the various facilities on the Jungfraujoch comes from hydroelectricity and this has been so for one hundred years!

All facilities on the Jungfraujoch are accessible by lift and also suitable for wheelchairs; a unique situation at nearly 3454 metres above sea level. Safety is provided by a modern building monitoring system. If a guest feels unwell in the high-Alpine air, he can press one of the red buttons placed throughout the whole complex and medical assistance will be immediately available. Dizzy spells are often the result of one glass of beer or wine too many, which has a faster effect in the thinner air. Young people in particular tend to walk too quickly

Bei den Jungfraubahnen wird Sicherheit großgeschrieben: Das Steinschlagnetz über dem Ausgang zum Aletschgletscher wird von Mitarbeitern geprüft und wenn nötig professionell repariert.

Safety is a top priority for the Jungfrau Railway: the protective netting above the exit to the Aletsch Glacier is checked by employees and repaired by professionals if necessary.

die Folge eines Biers oder eines Glases Wein zu viel, was in der dünnen Luft schneller wirkt. Gerade junge Besucher laufen im Übrigen oft zu schnell durch Stollen und über Treppen und überschätzen ihre Kräfte in dieser Höhe.

Die Feuerwehr ist rasch einsatzbereit, für den Notfall sind die Fluchtwege markiert, und Türen können so gesteuert werden, dass ein Brandherd sofort isoliert wird. Dies gilt auch für die Jungfraubahn, deren Sicherheitskonzept immer wieder verbessert wird. Bei einem Stromausfall sorgt die Notstromgruppe für Beleuchtung im Bahnstollen; im Notfall könnten die Passagiere entlang beleuchteter Handläufe wenn nötig bis zur Station Eigergletscher hinunterlaufen, was glücklicherweise bis jetzt noch nie erforderlich war. Ein Mitarbeiter der Bahn bleibt immer über Nacht auf dem Jungfraujoch und absolviert seine Kontrollgänge.

Sämtliche Hinweisschilder sind in mehreren Sprachen verfasst, denn man will die Gäste in ihrer eigenen Landessprache ansprechen, ob nun der Weg zum Eispalast gewiesen wird, zur Rotkreuzstation oder zum Souvenir-Shop.

through the galleries and up staircases and overestimate their strength at this altitude.

The fire brigade is always prepared for action, escape routes are marked in case of an emergency and doors are controlled in such a way that a fire source can be immediately isolated. This also applies to the Jungfrau Railway, where the safety concept is subject to continual improvement. In the event of a power failure, an independent power supply would provide lighting in the railway tunnel; in an emergency, if necessary passengers could walk down to the Eigergletscher station with the aid of illuminated handrails, a situation which incidentally has never happened in the one hundred years of the railway. One railway employee always stays overnight on the Jungfraujoch and carries out inspection checks.

All information signs are written in several languages. The aim is to address the guest in his own language, whether showing the way to the Ice Palace, the Red Cross point or the souvenir shop.

Wie eine Burg aus fernen Zeiten ragt die von Nebeln umwogte Sphinx in die dünne Luft, überragt von den schroffen Felsen der Jungfrau. Die Sphinx mit ihrem Teleskop ist Teil der 1931 in Betrieb genommenen Forschungsstation. 1996 wurde die Sphinx-Aussichtsterrasse gebaut und für das Publikum geöffnet.

Resembling a castle from days of old, the fog-shrouded Sphinx towers up into the thin air, dwarfed by the jagged cliffs of the Jungfrau. The Sphinx with its telescope is part of the research station that began operations in 1931. The Sphinx vantage terrace was built and opened to the public in 1996.

Höchste ständig besetzte Forschungsstation Europas

Entrückt über dem touristischen Getriebe arbeitet die höchste dauernd besetzte Forschungsstation Europas. Die Anlage mit dem Observatorium und der markanten Kuppel arbeitet unter der Schirmherrschaft der Internationalen Stiftung Hochalpine Forschungsstationen Jungfraujoch und Gornergrat und wird mit Geldern aus dem Schweizerischen Nationalfonds und Mitteln aus weiteren angeschlossenen Ländern finanziert.

Mut, Weitsicht und Idealismus ermöglichten 1931 den Bau dieser extrem gelegenen Forschungsstation, der höchsten der Welt, die mit einem öffentlichen Verkehrsmittel erreichbar ist, wie die Stiftungsleitung stolz vermerkt. So renommierte Institutionen wie die Royal Society in London, die Universität Paris, die Kaiser-Wilhelm-Gesellschaft zur Förderung der Wissenschaften in Berlin oder die Schweizerische Naturforschende Gesellschaft unterzeichneten die Stiftungsurkunde vor rund achtzig Jahren. Als markanteste bauliche Veränderung montierte man 1950 die Kuppel auf dem Sphinx-Observatorium, dem Wahrzeichen der hochalpinen Anlage.

Die Forschungsstation Jungfraujoch hat sich im Laufe der Jahrzehnte dynamisch den wechselnden Ansprüchen der Wissenschaft angepasst und weiterentwickelt; denn seit der Gründerzeit haben sich die Forschungsziele stark verändert. Standen am Anfang Physiologie und Astronomie im Vordergrund, ist die Station heute für Umweltwissenschaftler, Astrophysiker oder Materialwissenschaftler wichtig. Die stetig modernisierte Infrastruktur und die Präsenz renommierter Wissenschaftler machte die Station zu einem der namhaftesten Zentren für Umweltforschung in Europa.

Internationale Forschungsteams gehen während Tagen oder Wochen am einzigartigen Forschungsstandort ihren wissenschaftlichen Beobachtungen nach und übernachten in einfachen Zimmern. Sie messen zum Beispiel die Konzentration gefährlicher Chemikalien, Aerosole und weiterer Spurenstoffe in der Atmosphäre; ein faszinierendes Forschungspanorama des 21. Jahrhunderts, ermöglicht durch die Inbetriebnahme der Jungfraubahn 1912.

Europe's highest-altitude permanently manned research station

Europe's highest-altitude permanently manned research station works in a world of its own above the tourist hustle and bustle. The facility with the observatory and striking dome operates under the auspices of the International Foundation of the High-Alpine Research Stations Jungfraujoch and Gornergrat. It is financed by funds from the Swiss National Science Foundation and other associated countries.

The management of the foundation is proud to point out that the construction in 1931 of the world's highest-altitude research station in such an extreme location, which can be reached by public transport, was only made possible by courage, vision and idealism. The foundation deed was signed around eighty years ago by such renowned institutions as the Royal Society in London, Paris University, the Emperor Wilhelm Society for the Advancement of Science in Berlin and the Swiss Academy of Natural Sciences. The most prominent structural alteration, the dome on the Sphinx observatory and the symbol of this high-Alpine facility, was put in place in 1950.

Over the decades, the Jungfraujoch Research Station has been effectively adapted and developed to meet altering scientific requirements; research objectives have changed radically since its foundation. While the initial focus was on physiology and astronomy, the station is now crucial to environmental scientists, astrophysicists and material scientists. The constantly updated infrastructure and presence of renowned scientists have made the station into one of Europe's most acclaimed centres for environmental research.

International research teams spend days or weeks carrying out their scientific observations in this unique research location, staying overnight in simple rooms. As one example, they measure the concentration of hazardous chemicals, aerosols and other trace elements in the atmosphere; a fascinating 21st century field of research made possible by the Jungfrau railway being put into operation in 1912.

Martin und Joan Fischer: Die guten Geister der Hochalpinen Forschungsstation Jungfraujoch

Martin and Joan Fischer: The ‹good fairies› at the High-Alpine Research Station Jungfraujoch

«Ich bin sechs Meter unter dem Meeresspiegel in Holland aufgewachsen», lacht Joan Fischer, «und jetzt leben wir auf 3571 Metern über Meer!» Dass das Ehepaar Fischer die Forschungsstation auf dem Jungfraujoch betreut, war den beiden nicht in die Wiege gelegt, und dennoch machen sie diesen außergewöhnlichen Job schon seit bald zehn Jahren.
Als junge Frau wollte Joan fremde Luft schnuppern und arbeitete im Service im Berner Oberland. Dort begegnete sie dem in Brienz aufgewachsenen Martin Fischer, der Zimmermann lernte und später als Maurer und Chauffeur und auch im Tunnelbau arbeitete. Die beiden zogen zusammen, sahen sich aber zu wenig, da er am Tag und sie oft lange am Abend arbeitete. Gemeinsam reisten sie später um die Welt, heirateten und standen dann auf dem Schilthorn mit prächtigem Blick auf Eiger, Mönch und Jungfrau als Gipfelwarte im Einsatz.
Die Holländerin mit ihrem ansteckenden Lachen und dem sympathischen, mit Holländisch unterlegten Berner Oberländer Dialekt hat keine Mühe mit der Höhe, die manchen Tiefländern Kopfschmerzen und Schlaflosigkeit beschert. Als die beiden das Inserat der Internationalen Stiftung Hochalpine Forschungsstationen Jungfraujoch und Gornergrat sahen, die ein Paar für die Leitung der Forschungsstation Junfgraujoch suchte, meldeten sie sich und waren überrascht, dass sie als «Nichtakademiker» die Stelle bekamen. Gefragt sind hier oben praktische Menschen mit sozialer Kompetenz, die anpacken und sich mit unerwarteten Situationen arrangieren können.
Wir führen das Gespräch im gemütlichen Aufenthaltsraum des 1931 eingeweihten Forschungstraktes, der an eine SAC-Hütte erinnert. Junge Wissenschaftler aus Deutschland, die auf dem Jungfraujoch Aerosol-Messungen durchführen, brauen sich gerade diskutierend einen Kaffee, ein britischer Forscher tippt Daten in seinen Computer; tief unter dem Fenster flimmert der Aletschgletscher in der Sonne.
Das Ehepaar Fischer berichtet angeregt von seinen vielfältigen Aufgaben. Joan managt die hochgelegene Herberge, wo bis zu einem Dutzend Wissenschaftler übernachten können. Mit den schweizerisch und international finanzierten und betreuten Projekten dieser höchstgelegenen mit der Bahn erreichbaren Forschungsstation Europas werden unter anderem die Konzentration gefährlicher Chemikalien und weiterer Spurenstoffe oder die Radioaktivität in der Erdatmosphäre gemessen. Bereits ein weit entfernt vorbeiratternder Helikopter kann die Messergebnisse stark beeinflussen und ruft in Erinnerung, dass touristische Aktivität zwar Beschäftigung bringt, aber auch die Umwelt belastet.
Die Übernachtung für Forscher aus den Mitgliedländern der Station kostet 30 Franken und für alle andern 75 Franken; einzelne Forscher bleiben nur wenige Nächte, andere bis zu einem Monat. «Längere Aufenthalte sind sehr selten», lächelt Joan verschmitzt, «sind sie zu lange hier oben, werden die Leute komisch ...» Die Fischers haben sich an das hochalpine Ambiente

«I grew up six metres below sea level in Holland», laughs Joan Fischer, «and now we live at 3571 metres above sea level!» The Fischers were not exactly born to look after the research station on the Jungfraujoch and yet they have been doing this highly unusual job for almost ten years.
As a young woman, Joan wanted to get a taste of life in another country and worked in service in the Bernese Oberland. Here, she met Martin Fischer from Brienz, a trained carpenter who later worked as a bricklayer, chauffeur and on tunnel construction. The pair set up home together but saw each other very little as he worked by day and she often worked until late in the evening. Later on, they travelled around the world, got married und then worked as caretakers on the Schilthorn summit, enjoying the spectacular views of the Eiger, Mönch and Jungfrau.
The lady from Holland with an infectious laugh and an appealing Dutch-Bernese Oberland accent has no problems with the altitude, which can cause headaches and sleep problems for some people from the lowlands. The pair replied to an advertisement by the International Foundation for High-Alpine Research Stations Jungfraujoch and Gornergrat for management of the research station on the Jungfraujoch and as «non-academics» were surprised when they got the job. In demand up here are practical people with social competence who can tackle problems and deal with unexpected situations.
Our talk took place in the comfortable lounge of the research wing. The wing was opened in 1931 and is reminiscent of an SAC hut. Young scientists from Germany, who were conducting aerosol measurements on the Jungfraujoch, were brewing coffee while holding a discussion, a British researcher was entering data into his computer; far below the window, the Aletsch Glacier shimmered in the sun.
The Fishers talked enthusiastically about their varied duties. Joan manages the high-Alpine accommodation, where up to twelve scientists can stay overnight at Europe's highest-altitude research station, which is reached by railway. The Swiss and internationally financed and managed projects carried out here include measuring the concentration of dangerous chemicals as well as other trace substances and radioactivity in the earth's atmosphere. Even a far-distant helicopter whirring past can have a strong influence on measurement results, a reminder that although tourist activities provide employment, they also pollute the environment.
Overnight accommodation for researchers from member countries costs 30 francs, all others pay 75 francs. Some researchers stay for only a few nights, others for up to a month. «Longer stays are very rare,» says Joan with a mischievous grin. «If people stay up here too long, they start to get a little odd ...» The Fischers have long since adapted to the high-Alpine atmosphere. They work for twenty days at a stretch and then have eleven days off to spend at their house on Lake Brienz while another couple takes over on the Jungfraujoch.
One of Martin Fischer's tasks is to observe and record cloud formations and the character of the weather. All other measurements are automatic. The weather sta-

längst gewöhnt und arbeiten jeweils zwanzig Tage auf dem Jungfraujoch, dann ziehen sie für elf Tage Freizeit in ihr Haus am Brienzersee, während ein anderes Ehepaar auf dem Jungfraujoch übernimmt.
Eine von Martin Fischers Aufgaben ist die Beobachtung der Wolkenformationen und des Wettercharakters. Alle andern Messungen laufen automatisch. Die Wetterstation ist im 1937 erbauten Sphinx-Observatorium untergebracht, das man 1950 mit der charakteristischen Kuppel versah.
Im Winter beginnt Martin Fischers Tag mit Schneeschaufeln auf der Sphinx-Terrasse, wo ein paar Stunden später Scharen von Touristen die majestätische Bergwelt bewundern. «Das Außergewöhnliche ist für uns ganz normal geworden», sagt Joan, die den Hund täglich zwischen schroffen Felsen Gassi führt, bei schlechtem Wetter jedoch nur in den geschützten Stollen.

tion is housed in the Sphinx observatory, which was built in1937 and given its characteristic dome in 1950.
In winter, Martin Fischer's day begins with shovelling snow on the Sphinx terrace, where only a few hours later a stream of tourists will marvel at the majestic mountain world. «The extraordinary has become quite normal for us,» says Joan, who takes her dog for his daily walk between jagged cliffs but in bad weather only in the protection of the galleries. Joan Fischer says with a smile that it's particularly cosy in the electrically-heated living room when a storm with winds reaching 140 kilometres per hour rages over the Joch. This research station seems almost surreal, similar to a Hitchcock film set. In the historic library, a decades-old philodendron reaches from window to window. Only the laptop on

Wenn der Sturm nachts mit 140 Stundenkilometern über das Joch rase, sei es in der elektrisch geheizten Stube besonders gemütlich, lacht Joan Fischer. Diese Forschungsstation wirkt irgendwie surreal wie ein Hitchcock-Filmset. In der historischen Bibliothek rankt sich ein jahrzehntealter Philodendron von Fenster zu Fenster. Nur der Laptop auf dem Holztisch zeigt, dass hier die Zeit nicht stehen geblieben ist.
Joan erledigt noch die Nahrungsmittel-Bestellungen für die beiden Forscherteams; denn die Wissenschaftler kochen selbst. Per Fax gehen die Orders zu Coop in Wengen, und die Esswaren kommen pünktlich am nächsten Morgen mit dem ersten Zug.
Wenn die letzte Komposition am Abend das Jungfraujoch verlässt, ist es hier oben gespenstisch leer. Die Fischers, ein paar Forscher und ein Mitarbeiter der Jungfraubahn verbringen die Nacht allein zwischen Himmel und Erde.

a wooden table shows that time has not stood still here.
Joan makes the food orders for the two research teams but the scientists cook for themselves. The orders are faxed to the Coop in Wengen and the goods arrive promptly the next morning on the first train.
When the last train composition leaves the Jungfraujoch in the evening, it becomes eerily empty up here. The Fischers, a couple of researchers and a Jungfrau Railways employee spend the night on their own between heaven and earth.

Einmal im Leben...
Zurück in die Welt des Tourismus! 1997 besuchte erstmals eine Delegation der Jungfraubahnen China, und seither wächst die Zahl chinesischer Gäste. Mit der am chinesischen Fernsehen zur Hauptsendezeit übertragenen Verschwisterung des in China verehrten Hungshan-Berges im Jahr 2002 bekam das Jungfraugebiet in China sozusagen die höheren Weihen; denn beide Bergmassive gehören zum UNESCO-Weltkulturerbe. Ein herausragendes Angebot, gekoppelt mit professionellem Marketing, hat die Jungfrauregion auf allen Kontinenten bekannt gemacht; ja die «Jungfrau – Top of Europe» gilt als Marke, als prestigereiches Ziel und Höhepunkt jeder Europareise.

Kisho Hatas Gruppe ist längst wieder in Japan. Die Teilnehmenden haben den Freunden die eindrücklichen Fotos von der Fahrt ins Schweizer Hochgebirge gezeigt und sie wohl für einen Trip auf das Jungfraujoch motiviert. Wie die Statistik zeigt, reisen 85 Prozent der Gäste in ihrem Leben nur ein einziges Mal auf das Jungfraujoch; jeweils über eine halbe Million Touristen pro Jahr erleben demnach die Fahrt zum höchstgelegenen Bahnhof Europas zum ersten Mal. Dies ist mit ein Grund für die freudige Erwartung der Passagiere in der Bahn und für die tagtägliche Premieren-Stimmung auf dem Jungfraujoch.

Once in a lifetime...
Back to the world of tourism! In 1997, a Jungfrau Railways delegation visited China for the first time, since when the number of Chinese guests has constantly increased. In 2002, the twinning of the Jungfrau with Mount Hungshan, much revered in China, was shown on Chinese TV at peak viewing time. This was high recognition for the Jungfrau Region in China as both mountain massifs belong to UNESCO World Heritage sites. The outstanding attraction coupled with professional marketing has made the Jungfrau Region famous throughout the world: the «Jungfrau – Top of Europe» is indeed regarded as a brand, a prestigious destination and the highlight of every trip to Europe.

Kisho Hata's group has long been back home in Japan. The people who took part have shown their friends the impressive pictures of their journey into the high Alps of Switzerland and doubtless inspired them to take a trip to the Jungfraujoch. Statistics show that 85 per cent of guests only make the Jungfraujoch excursion once in their lives. And so every year, around 500 000 tourists experience the trip to Europe's highest-altitude railway station for the first time. This is without doubt the reason for the happy air of anticipation among the passengers on the train and for the daily atmosphere of a premiere on the Jungfraujoch.

Nach dem Aufenthalt in dünner Luft schlafen viele auf der Rückreise in den weichen Polstern der Jungfraubahn. Der extreme Höhenunterschied macht namentlich den Gästen zu schaffen, die direkt vom Flughafen auf den «Top of Europe» reisen. Vor allem asiatische Touristengruppen sind mit einem engen Fahrplan in Europa unterwegs.

After a stay in the thin air, many visitors fall asleep on the return journey, relaxing in the upholstered seats of the Jungfrau Railway. The extreme difference in altitude has a particular effect on guests who travel directly from the airport to the «Top of Europe». It is mainly Asian groups who tour Europe on a very tight time schedule.

Urs Kessler, CEO der Jungfraubahnen: «Manchmal muss man mich etwas bremsen»

Urs Kessler, CEO of Jungfrau Railways: «Sometimes they have to slow me down»

«Als Knabe wollte ich Bauer werden und besserte mein Taschengeld mit Kaninchenzucht auf», sagt CEO Urs Kessler lachend im Chefbüro der Jungfraubahnen. Heute ist der bodenständig gebliebene, weltgereiste Berner Oberländer oberster Chef von 650 Mitarbeitenden der Jungfraubahnen-Gruppe, die einen Umsatz von 167 Millionen Franken und einen Reingewinn von 22 Millionen erwirtschaften (2009). Geboren 1962 und aufgewachsen in Gsteigwiler bei Interlaken, absolvierte er die Handelsschule und arbeitete dann als Betriebsdisponent bei der Bern-Lötschberg-Simplon-Bahn (BLS). Nach Sprachaufenthalten in England und Italien und Weiterbildungen im Bereich Marketing arbeitete er im Kommerziellen Dienst der BLS und wechselte 1987 als Leiter der Verkaufsförderung zu den Jungfraubahnen über, wo er rasch zum Marketingchef aufstieg und die einheimische Tourismusszene mit Energie und Ideen aufmischte.

Kessler reiste lange vor der Konkurrenz nach Japan und knüpfte Kontakte in weiteren asiatischen Ländern, besuchte in Fernost Reiseveranstalter und positionierte «Jungfrau – Top of Europe» als Marke. Er flog dabei jährlich bis zu 150 000 Kilometer; denn persönliche Kontakte haben im Tourismusgeschäft einen hohen Stellenwert.

«In Asien sind Marken wichtig», bekräftigt Kessler. Aus Asien kommen vor allem Gruppen; ein Trip auf das Jungfraujoch ist der Höhepunkt vieler Europareisen und ein wichtiger Umsatzträger der Jungfraubahnen. Der innovative Marketingchef erfand auch das «SnowpenAir», ein Pop-Konzert mit internationalen Stars, das gegen Ende der Wintersaison Jahr für Jahr Tausende auf die Kleine Scheidegg lockt. Wegen der Finanzkrise brachen die Gästezahlen aus asiatischen Ländern teilweise um die Hälfte ein. «Wir reagierten mit Aktionen in der Schweiz und in umliegenden Ländern und konnten so die Ausfälle aus Asien kompensieren», erklärt Kessler, seit 2008 CEO der Jungfraubahnen. Das wichtigste Kapital des traditionsreichen Unternehmens ist die grandiose Hochgebirgslandschaft mit dem Aletschgletscher, dem mächtigsten Eisstrom der Alpen, dem UNESCO Welterbe.

«Die Jungfraubahn Holding AG trägt eine große Verantwortung für diese einmalige Landschaft», sagt Kessler, «eine längerfristig geplante, nachhaltige Entwicklung des Unternehmens ist darum wichtig.» Nach seinem Einstieg als CEO erarbeitete das Management im Team Masterpläne bis 2020 für eine angepasste Entwicklung der Stationen Scheidegg, Eigergletscher und Jungfraujoch. Ein Beispiel ist der neue Erlebnisrundgang auf dem Jungfraujoch, ein Parcours im Innern des Berges, der Sphinxhalle und Eispalast verbindet und wo die Gäste namentlich bei schlechtem Wetter das Panorama und die Geschichte der Bahn mithilfe modernster visueller Technik erleben können.

«Die Sky Lounge ist unser nächstes großes Projekt», schwärmt Kessler. Seit den Fünfzigerjahren stehen Parabolspiegel im steilen Ostgrat der Jungfrau, mit denen die Swisscom Signale ablenkte

«As a boy I always wanted to be a farmer and boosted my pocket money by breeding rabbits,» says the smiling CEO Urs Kessler in his director's office at Jungfrau Railways. The much-travelled man from the Bernese Oberland remains down to earth despite being the top boss of the 650 employees of the Jungfrau Railways Group, which in 2009 recorded a turnover of 167 million francs and a net profit of 22 million francs. Born in 1962, Urs Kessler grew up in Gsteigwiler near Interlaken. After graduating from business school, he worked as an operations manager with the Bern-Lötschberg-Simplon Railway (BLS). Following language studies in England and Italy as well as further training in the marketing field, he worked in BLS commercial services before changing to Jungfrau Railways as Head of Sales Promotion.

He rapidly advanced to Head of Marketing and created a stir on the local tourism scene with his energy and ideas.

Long before any of the competition, Kessler travelled to Japan, established contacts in other Asian countries, visited tour operators in the Far East and positioned the Jungfrau – Top of Europe as a brand. In the process, he flew up to 150 000 kilometres per year because personal contacts are rated very highly in the tourism industry.

«Brands are important in Asia,» confirms Kessler. Asian guests mainly come in groups: a trip up to the Jungfraujoch is the highlight of many a European tour and a key revenue generator for Jungfrau Railways. The innovative marketing boss is also the originator of the SnowpenAir, a pop concert with a line-up of international stars that attracts thousands to Kleine Scheidegg towards the end of every winter season.

The financial crisis has resulted in a drop in guest numbers from Asian countries, by as much as half in some places. «We reacted to this situation with special offers in Switzerland and our neighbouring countries and were thus able to compensate for the losses from Asia,» explains Kessler, CEO of Jungfrau Railways since 2008. The key asset of this tradition-steeped company is the grandiose high-Alpine landscape with the Aletsch Glacier, the longest ice-stream in the Alps and a UNESCO World Heritage.

«The Jungfraubahn Holding AG bears a huge responsibility towards this unique landscape and so the long-term, planned, sustainable development of the company is vital,» says Kessler. After he took over as CEO, the management, as a team, drew up master plans stretching to 2020 for the sustainable development of the Kleine Scheidegg, Eigergletscher and Jungfraujoch stations. One example is a new experience tour on the Jungfraujoch, a passageway inside the mountain linking the Sphinx hall and Ice Palace and where, particularly in bad weather, guests can experience the Alpine panorama and the history of the railway with the aid of the latest visual technology.

«The Sky Lounge is our next major project,» says a visibly enthusiastic Kessler. Since the 1950s, parabolic mirrors have stood on the Jungfrau's steep east ridge, used to relay and transmit Swisscom signals over the Alps. This

und über den Alpenkamm sendete, was heute mittels Satellitentechnologie geschieht. Die baldige Stilllegung gibt den Jungfraubahnen die Möglichkeit, anstelle des ausrangierten Baus einen einzigartigen Ausguck zu realisieren.

Das Unternehmen hat den Dialog mit den Umweltorganisationen aufgenommen und will, wie der CEO erklärt, einen Architekten von Weltruf mit dem Entwurf der Sky Lounge betrauen. Die bestehende Standseilbahn im Bergesinnern soll durch einen leistungsfähigen Personentransporter ersetzt werden. Das ist die Art der Projekte, die Kessler begeistern!

Die Hälfte des jährlichen Cashflows der Jungfraubahnen – rund 25 Millionen Franken – wird investiert, um Infrastruktur und Rollmaterial à jour zu halten und die touristische Zukunft des Unternehmens mit innovativen Projekten zu sichern.

Der verheiratete Vater zweier Kinder erklärt, dass ihn die Verantwortung für die Arbeitsplätze stark motiviere. Wichtig sind ihm ein gutes Zeitmanagement und der enge Kontakt zu Mitarbeitenden und Leistungsträgern in der Tourismuswirtschaft. «Für die Jungfraubahnen engagiere ich mich zu 100 Prozent», bekräftigt er, und man glaubt es ihm aufs Wort, «zuweilen muss mich der Verwaltungsrat etwas bremsen!» Er sei manchmal zu ungeduldig, räumt er ein. Großen Wert legt Urs Kessler auf seine Führungsgrundsätze: Loyalität und Identifikation mit dem Unternehmen, unternehmerisches Denken und Engagement. Der Mann, der einst Bergbauer werden wollte und jetzt CEO der wohl bekanntesten Bergbahn der Welt ist, lebt es vor: «Von sich selber soll man mehr verlangen als von den andern.»

can now be achieved with satellite technology. The imminent closure of the relay station gives Jungfrau Railways the opportunity to transform the disused structure into a unique vantage point.

The company has begun discussions with environmental organizations and, as the CEO explains, intends to assign the design of the Sky Lounge to an internationally-renowned architect. The funicular inside the mountain will be replaced by an efficient people carrier. This is the kind of project that inspires Kessler!

Half of the Jungfrau Railway's annual cash flow – around 25 million francs – is to be invested to keep the infrastructure and rolling stock up to date and secure the touristic future of the company with innovative projects.

The married father of two children explains that the responsibility for workplaces is for him a strong motivating factor. Important to him are good time management and close contact with employees as well as with the service providers in the tourism industry. You believe his every word when he asserts, «I'm 100 per cent committed to Jungfrau Railways but occasionally the executive board has to slow me down a little!» He admits he can sometimes be too impatient. Urs Kessler sets great store on his management principles: loyalty to and identification with the company, an entrepreneurial mind set and commitment. The man who once wanted to be a farmer and is now CEO of probably the best-known mountain railway in the world is a living example of the maxim «one should always demand more from oneself than from others.»

1 Plateau
2 Eispalast
3 Shop
4 Bahnhof
5 Shop, Souvenirs
6 Information, SOS
7 Ice Gateway
8 Tonbildschau
9 Restaurant Crystal
10 Self-Service Restaurant
11 Cafeteria
12 Restaurant Bollywood
13 Restaurant Eiger
14 Bahnhofvorstand
15 Forschungsstation
16 E-mail Terminal
17 Sphinx-Lift
18 Gletscherausgang
19 Snow Fun
20 Mönchsjochhutte
21 Gepäckschliessfächer
22 Sphinx-Halle
23 Sphinx-Aussichtsterrasse
24 Information Desk

1 Plateau
2 Ice Palace
3 Shop
4 Railway station
5 Shop, souvenirs
6 Information, SOS
7 Ice Gateway
8 Audio-visual show
9 Crystal Restaurant
10 Self-service restaurant
11 Cafeteria
12 Bollywood Restaurant
13 Eiger Restaurant
14 Railway station management
15 Research Station
16 Email terminal
17 Sphinx lift
18 Exit to glacier
19 Snow Fun
20 Mönchsjoch Hut
21 Left luggage lockers
22 Sphinx Hall
23 Sphinx Observation Terrace
24 Information Desk

Die Infrastruktur des «Top of Europe» liegt zu einem großen Teil im Berg, was die grandiose Landschaft des UNESCO-Welterbes schont. Die Gastronomiebetriebe sind in den Abhang gefügt und bieten einen unverstellten Blick auf den Aletschgletscher, den größten Eisstrom der Alpen. Auch die Sphinx-Terrasse und der Eispalast gehören zu den Attraktionen auf dem Jungfraujoch.

Most of the «Top of Europe» infrastructure is located inside the mountain, a feature that protects the grandiose landscape of the UNESCO World Heritage. The restaurants are built into the mountain side and offer incredible views of the Aletsch Glacier, the longest ice-stream in the Alps. The Sphinx terrace and Ice Palace are two more top attractions on the Jungfraujoch.

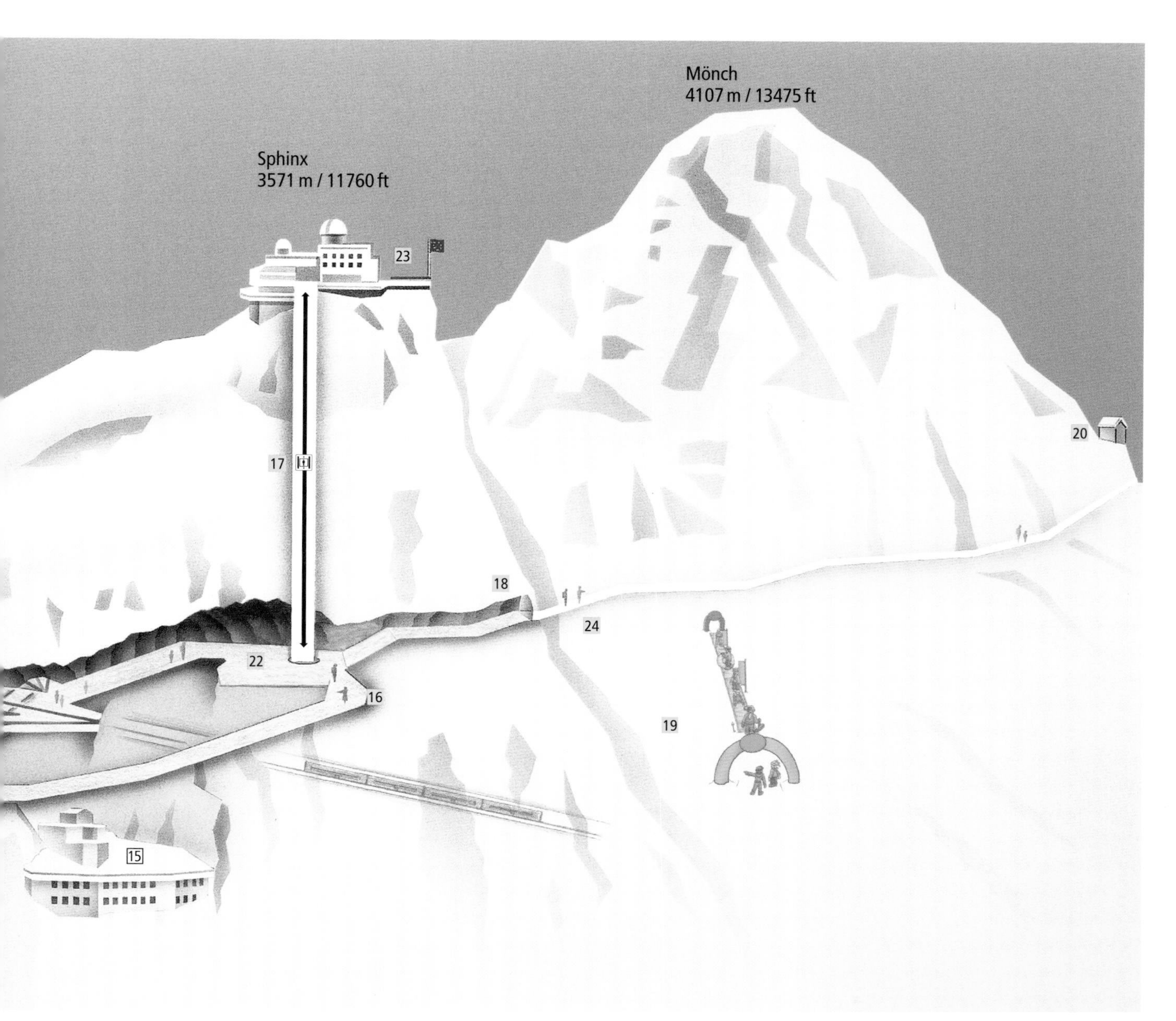
Mönch
4107 m / 13475 ft
Sphinx
3571 m / 11760 ft
23
17
20
18
24
22
16
19
15

Mehrere Schneepfade führen vom Jungfraujoch in die großartige, hochalpine Landschaft. Der Weg zur Mönchsjochhütte kann zu Fuß oder auch auf Skis zurückgelegt werden. Vielen Touristen genügen jedoch ein paar hundert Meter in dünner Luft und gleißendem Licht.

Rechte Seite: Das Plateau mit der Schweizer Flagge ist ein gefragtes Fotosujet.

Several snow trails lead from the Jungfraujoch into the spectacular, high-Alpine landscape. The path to the Mönchsjoch Hut can be covered on foot or on skis. For many tourists, however, a walk of a few hundred metres in the thin air and dazzling sunshine is enough.

Page right: The plateau with its Swiss flag is a favourite photo subject.

Vorangehende Doppelseite: Unvergleichlicher Blick auf die Sphinx und den Großen Aletschgletscher mit dem Konkordiaplatz hinten in der Mitte zwischen den Schatten. Der Status eines UNESCO-Welterbes garantiert, dass diese Landschaft auch für kommende Generationen ihre erhabene Schönheit behalten wird.

Previous double page: An incomparable view of the Sphinx and the Great Aletsch Glacier with the Konkordiaplatz towards the back, in the middle between the shadows. The status of a UNESCO World Heritage guarantees that this landscape will retain its serene splendour for future generations.

Stolz auf die wohl imposanteste Hochgebirgsregion der Schweiz: Das Jungfraujoch ist ebenso Eldorado für Sportler und Ausflügler wie Schauplatz von Folkloreanlässen.

Folgende Doppelseite: In lockeren Gruppen wandern die Touristen auf dem Gletscher vom Mönchsjoch Richtung Sphinx. Sonnenbrille, gutes Schuhwerk und Sonnenschutz sind obligatorisch. Die dünne Luft setzt einigen Gästen zu; sie kehren bald wieder unter das schützende Dach des «Top of Europe» zurück.

Proud to be truly the most magnificent high-mountain region in Switzerland: the Jungfraujoch is paradise for not only sport fans and day trippers but also as a spectacular setting for folklore events.

Following double page: loose groups of tourists hike over the glacier from the Mönchsjoch towards the Sphinx. Sunglasses, sturdy footwear and a good sunscreen are absolutely essential. The thin air has an effect on some guests; they soon return under the protective roof of the «Top of Europe».

Durch die Tunnels und Treppen im Innern des Berges erreicht man den Eispalast, den Lift zur Sphinx-Terrasse und eine Ausstellung über die Geschichte des Bahnbaus.

Rechte Seite: Blick aus der Kuppel des Forschungslabors: Die Forschungsstation Jungfraujoch ist eines der namhaftesten Zentren für Umweltforschung in Europa.

The Ice Palace, the lift to the Sphinx terrace and an exhibition on the history of the railway construction are all reached by tunnels and stairways inside the mountain.

Page right: View of the dome of the research laboratory: the Jungfraujoch Research Station is one of the most acclaimed centres of environmental research in Europe.

pmod
RB UV-B / Juni96

Vorangehende Doppelseite: Die Sphinx-Terrasse scheint über dem Eisstrom des Großen Aletschgletschers zu schweben. Die luftige Plattform ist Tag für Tag atemberaubender Treffpunkt der Nationen.

Previous double page: The Sphinx terrace appears to hover above the ice-stream of the Great Aletsch Glacier. Day after day, the lofty platform becomes a breathtaking meeting place of nations.

Der Eispalast mit seinen Eis-Skulpturen ist eine besondere Attraktion auf dem Jungfraujoch und ein perfekter Ort für einen Schnappschuss. Der populäre Eispalast muss wegen der Ausdünstung von Tausenden von Besuchern künstlich gekühlt werden; mit der Abwärme werden Gebäude geheizt. Ökologie wird auf dem «Top of Europe» großgeschrieben; der benötigte Strom kommt aus dem bahneigenen Wasserkraftwerk.

The Ice Palace with its glistening ice sculptures is a special attraction on the Jungfraujoch and the perfect place for a snapshot. It has to be artificially cooled because of the heat generated by the thousands of visitors, and this waste heat is then used to heat the complex. Great importance is placed on ecology on the «Top of Europe»; electricity required is supplied by the railway's own hydroelectric power station.

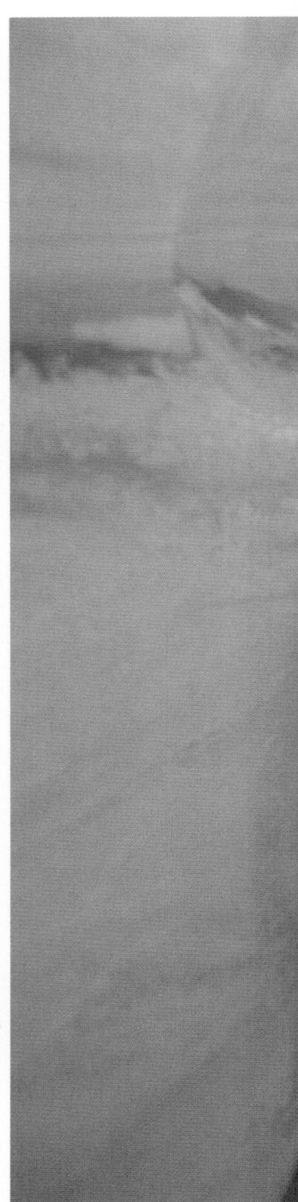

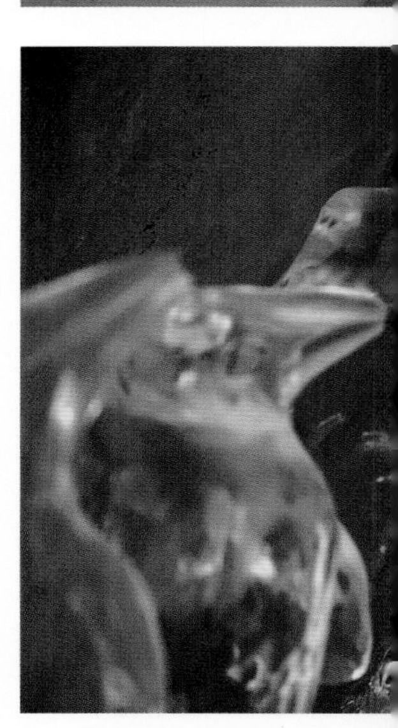

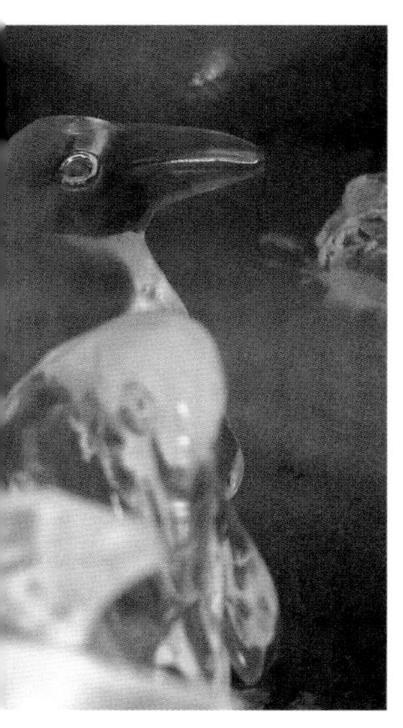

JUNGFRAU
TOP OF EUROPE

Blick zum Fiescherhorn, einem der vielen Gipfel im Umfeld des «Top of Europe».

View of the Grosses Fiescherhorn, one of the many summits surrounding the «Top of Europe».

Das Sphinx-Observatorium erscheint aus dieser ungewohnten Perspektive wie eine Perle auf dem Sahnehäubchen.

From this unusual perspective, the Sphinx Observatory resembles a pearl on a topping of whipped cream.

Linke Seite: Nachtaufnahme vom Eggishorn über den Gletscher in Richtung Jungfraujoch. Im Hintergrund von links: Mönch, Trugberg und Eiger.

Im ewigen Eis und Schnee: Morgenstimmung beim Aufstieg zur Jungfrau.

Folgende Doppelseite: Ein großes Erlebnis sind geführte Skitouren auf dem Gletscher. Manche Touristen sind auch mit Schneeschuhen und Snowboard im Hochgebirge unterwegs. Skitourengruppe auf dem Konkordiaplatz Richtung Lötschenlücke.

Page left: Night shot from the Eggishorn over the glacier towards the Jungfraujoch. In the background from left: the Mönch, Trugberg and Eiger.

In eternal snow and ice: morning ambiance on an ascent of the Jungfrau.

Following double page: A guided ski tour on the glacier is a fabulous experience. Many tourists are also underway on snowshoes or snowboards in the high mountains. Skitouring group on the Konkordiaplatz, heading towards the Lötschenlücke.

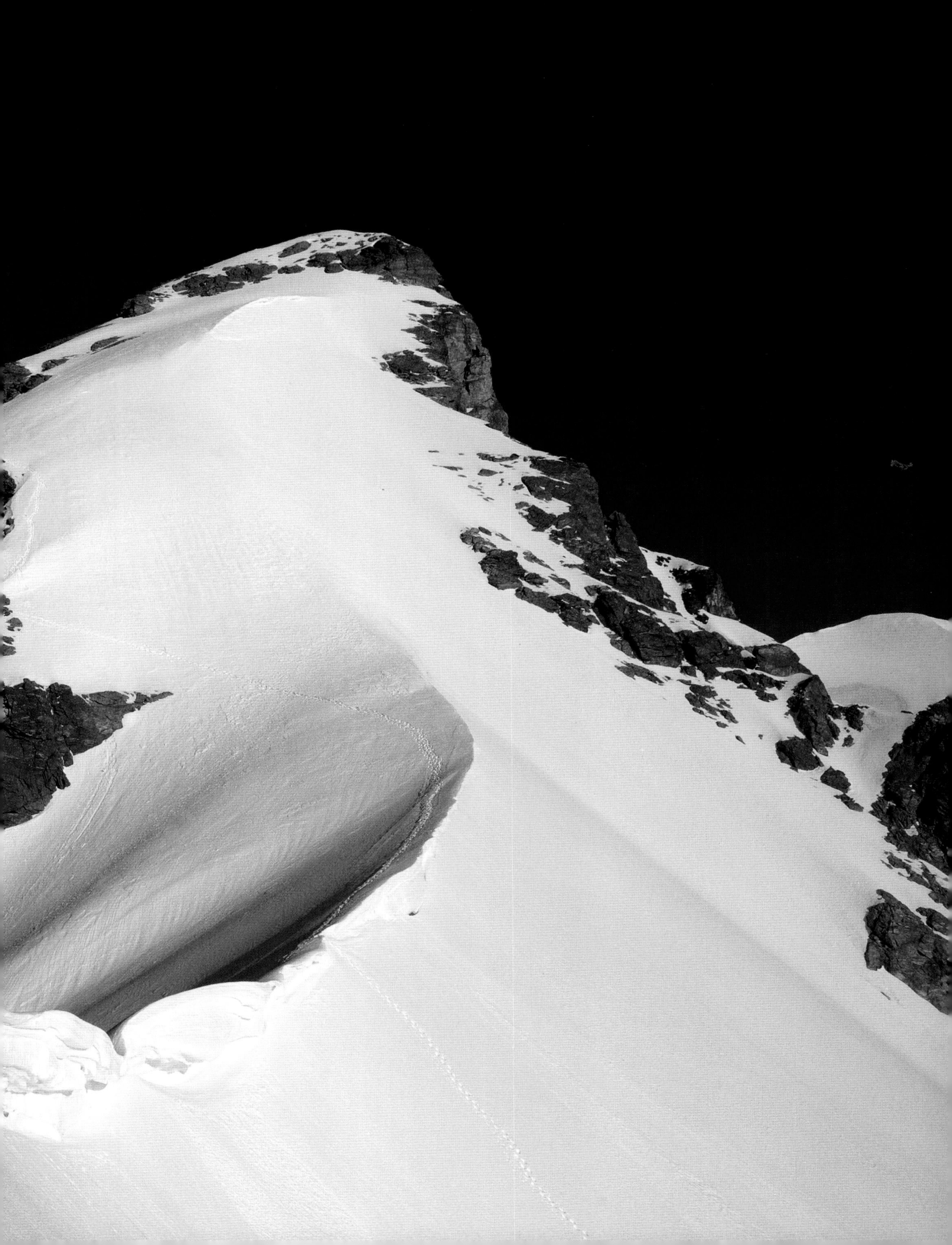

Vorangehende Doppelseite: Der Rottalsattel mit dem Gipfel der Jungfrau wirkt aus diesem Blickwinkel urtümlich und abweisend. Kaum zu glauben, dass etwas tiefer, auf dem Jungfraujoch, Tausende von Menschen fast alle Annehmlichkeiten der Zivilisation inmitten einer grandiosen Bergwelt genießen.

Previous double page: From this angle, the Rottalsattel with the Jungfrau summit has a primeval and forbidding effect. It's hard to believe that just a little lower down on the Jungfraujoch, in the heart of a majestic mountain world, thousands of people are enjoying almost all the amenities of civilization.

Helikopter über den Eisbrüchen des Aletschgletschers. Ein leistungsfähiger Rettungsdienst ist dauernd auf Pikett. Die Wanderer in der Eiswüste des Aletschgebietes können sich sicher fühlen.

Folgende Doppelseite: Majestätische Morgenstimmung mit Eiger und Mönch. Ein paar Lichter im Vordergrund zeugen von der Präsenz der Menschen, die den «Top of Europe» für den Ansturm der Touristen aus allen Kontinenten vorbereiten.

A helicopter over the ice masses of the Aletsch Glacier. An efficient rescue service is on continual emergency standby. Hikers in the icy wilderness of the Aletsch region can feel safe.

Following double page: Majestic morning ambiance with the Eiger and Mönch. The few lights in the foreground are evidence of the presence of people preparing the Top of Europe for the stream of tourists from each and every continent.

Die Jungfraubahn und Eiger, Mönch & Jungfrau

Jungfrau Railways and the Eiger, Mönch & Jungfrau

Text: Rainer Rettner

Die Eigerwand: Alpinismusgeschichte hautnah

The Eiger North Wall: Alpine history in close-up

Vorangehende Doppelseite: Traumlandschaft für Touristen und Alpinisten: Im letzten Abendlicht präsentieren sich Eiger, Mönch und Jungfrau an einem makellosen Wintertag.

Rechte Seite: Die Wengernalpbahn kurz vor der Kleinen Scheidegg. Die Fahrt von Grindelwald führt direkt unter der berühmten, 1650 Meter hohen Eiger-Nordwand vorbei. Zu jeder Jahreszeit sorgen die Einblicke in die düstere Steilwand für Staunen unter den Fahrgästen.

Previous double page: Dream landscape for tourists and alpinists: the Eiger, Mönch & Jungfrau glow in the last rays of evening light on a perfect winter's day.

Page right: The Wengernalp Railway shortly before Kleine Scheidegg. The trip from Grindelwald leads directly beneath the famous 1650 metre high Eiger North Wall. The views of the bleak, vertical face never fail to amaze passengers at all times of year.

«Les passagers sont priés de changer de train», tönt es sanft am Ende der dreisprachigen Durchsage, nach der gemütlichen, knapp dreißigminütigen Bergfahrt mit der Wengernalpbahn, schon in Sichtweite des altehrwürdigen Hotels Bellevue des Alpes und der Bahnhofsgebäude. Kleine Scheidegg – umsteigen in die Jungfraubahn! Kaum tritt man auf 2061 Meter Höhe ins Freie, erweitern sich unweigerlich die Pupillen: Atemberaubend schön stehen Eiger, Mönch und Jungfrau im Blickfeld, etwa 2000 Höhenmeter sind es von hier bis zu den Gipfeln. Beinahe fühlt man sich in den Himalaya versetzt, wäre da nicht das internationale Volk und die Betriebsamkeit des Bahnhofs. Der Eiger präsentiert sich als weitgehend felsiger und schattiger Koloss, während die vergletscherten Bergstöcke der beiden Nachbargipfel schon fast freundlich-harmlos wirken.

Drei derart markante Berge direkt nebeneinander – kein Wunder, dass sich Alpinisten seit knapp 200 Jahren von dem berühmten Trio angezogen fühlen. Durch den Bau und die Eröffnung der Jungfraubahn im Jahr 1912 hat sich das Bergsteigen an den Berner Oberländer Traumbergen markant verändert. Und auch Nichtbergsteiger können sich seitdem gefahrlos an die Schauplätze der bedeutendsten alpinen Ereignisse begeben.

Während der Fahrt von der Kleinen Scheidegg zur Station Eigergletscher ändert sich die Perspektive auf den Eiger in kurzer Zeit vollkommen. Die abweisende Nordwand verschwindet langsam hinter dem Westgrat, dafür fällt der Blick auf die geneigtere Westflanke. Bergsteigerisch ist sie nicht gerade ein Genuss: Alpinisten, die über sie auf- oder abstiegen, bezeichneten sie auch schon einmal leicht genervt als «1600 Meter hohen Bahndamm», weil sehr viel lockeres Gestein die Kletterei mühsam und gefährlich macht. Bis in die heutige Zeit macht die Westflanke leider immer wieder durch Unglücksfälle von sich reden. Auch Alpinisten, die nach dem erfolgreichen Nordwanddurchstieg die nötige Konzentration für einen Moment vermissen ließen, stürzten dort bereits zu Tode.

«Les passagers sont priés de changer de train,» says the soft voice at the end of the announcement in three languages after the comfortable, almost thirty-minute uphill journey with the Wengernalp Railway. The time-honoured Hotel Bellevue des Alpes and the station buildings are already in sight. Kleine Scheidegg – all change for the Jungfrau Railway! You've hardly stepped into the open air at 2061 metres above sea level when you inevitably become wide eyed: the Eiger, Mönch & Jungfrau draw your gaze, breathtakingly beautiful and with some 2000 metres from here up to the summits. You could almost think you'd been transported to the Himalayas if it were not for all the different nationalities and the hustle and bustle at the station. The Eiger appears as a colossus mainly made of rock and shadow, while the glaciated mountain massifs of the two neighbouring summits have an almost friendly and harmless effect.

Three such striking mountains directly next to each other – no wonder that the famous trio has acted as a magnet for mountaineers for almost 200 years. The construction of the Jungfrau Railway and its opening in 1912 led to major changes in mountaineering on the dream summits of the Bernese Oberland. And since then, non-mountaineers have been also able to travel safely to the scenes of the most dramatic events in the Alps.

The perspective of the Eiger changes completely in a very short time on the journey from Kleine Scheidegg to the Eigergletscher station. The sheer, forbidding North Wall slowly disappears behind the west ridge and your gaze falls on the more gradual west flank. This is not exactly a pleasure to climb: alpinists who have made the ascent or descent have described it in slightly irritated fashion as a «1600 metre high railway embankment» because an enormous amount of loose rock makes climbing both exhausting and dangerous. So far, the west flank has unfortunately only made the headlines because of accidents. Mountaineers suffering a momentary lapse of concentration after the successful ascent of the Eiger North Wall have plunged to their deaths here.

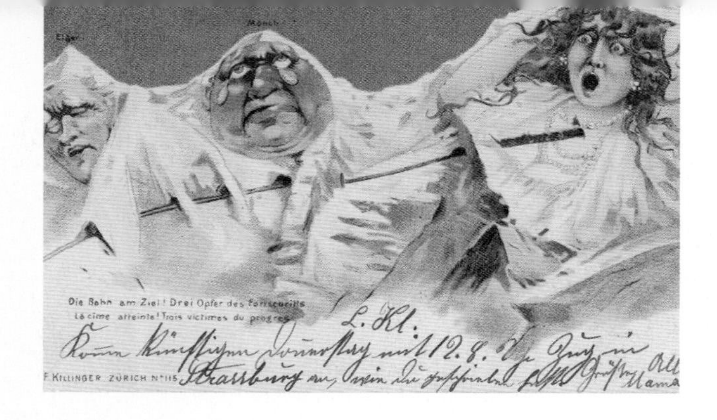

Auf dieser Postkarte aus dem Jahr 1899 zeigen sich Eiger, Mönch und Jungfrau ob der damals gerade im Bau befindlichen Jungfraubahn alles andere als begeistert.

On this postcard from 1899, the Eiger, Mönch & Jungfrau look anything but thrilled about the Jungfrau Railway, which was then under construction.

Es war genau diese Flanke, über die 1858 die Erstbesteigung des Eigers erfolgte. Die Grindelwalder Bergführerlegende Christian Almer und sein Berufskollege Peter Bohren führten ihren irischen Gast Charles Barrington am 18. August 1858 zum 3970 Meter hohen Eigergipfel. Die Seilschaft war frühmorgens vom Hotel Wengernalp aufgebrochen und erreichte nach 8½ Stunden den Gipfel – auf Anhieb! Der Newcomer war ehrgeizig genug, zumindest ein alpinistisches Ausrufezeichen zu setzen: Entweder das Matterhorn oder der Eiger, beide damals noch unbestiegen, sollte es sein. Geldmangel verunmöglichte die Reise ins Wallis, sodass Barrington die nahe liegende Variante wählte. Die Eigertour war – neben der Besteigung der Jungfrau wenige Tage zuvor – die einzige größere Bergtour seines Lebens, der Aufenthalt in Grindelwald sollte der letzte in den Alpen bleiben. Lieber widmete er sich fortan wieder seiner großen Leidenschaft, den Pferderennen.

Unmittelbar nach der Station Eigergletscher folgt die Einfahrt in den 7,3 Kilometer langen Tunnel zum Jungfraujoch. Was viele Touristen nicht wissen: Nicht nur die Zugkompositionen der Jungfraubahn rattern darin in die Höhe, auch von Alpinisten wird der Tunnel – per pedes – gerne benutzt. Der Grund ist einer der Stollen, die beim mühsamen Bau der Bahn zum Auswurf des herausgesprengten Felsmaterials von innen in die Nordseite des Berges getrieben wurden. Heutzutage starten viele Bergsteiger, die die Eiger-Nordwand durchklettern wollen, am sogenannten Stollenloch (2840 m) zu ihrer Tour. Nur wenige Meter vom Tunnel entfernt, befindet man sich nach dem Öffnen einer Holztüre urplötzlich mitten in der Wand, 600 Meter über dem Wandfuß.

Erstmals wurde diese verkürzte Anstiegsvariante im März 1961 während der Wintererstdurchsteigung durch Toni Hiebeler, Toni Kinshofer, Anderl Mannhardt und Walter Almberger benutzt – damals war das noch ein Riesenskandal, weil sie den Ausstieg zunächst verschwiegen hatten und den leichten, aber lawinengefährdeten untersten Wandteil bereits einige Tage zuvor bei einem er-

The first ascent of the Eiger was made up this very flank in 1858. On 18th August 1858, legendary Grindelwald mountain guides Christian Almer and Peter Bohren led their Irish guest Charles Barrington to the 3970-metre-high Eiger summit. The roped party started out from the Hotel Wengernalp in the early hours of the morning and reached the summit after 8½ hours – in one continuous climb! The newcomer was ambitious enough to want to make his mark at least once in the Alps; it had to be either the Matterhorn or the Eiger as both were still unclimbed at that time. Shortage of money prevented travel to the Valais and so Barrington chose the nearest option. The Eiger tour – apart from the ascent of the Jungfrau a few days before – would be the only major mountain tour of his life, the stay in Grindelwald his last in the Alps. From then on, he preferred to refocus on his great passion, horse racing.

The entrance to the 7.3 km long tunnel to the Jungfraujoch is located immediately after the Eigergletscher station. Many tourists are unaware that it is not only train compositions that travel through it on their way to the heights: mountaineers are also glad to use it – on foot. The reason is one of the galleries that were used to jettison rock blasted from the interior of the north face of the mountain during the laborious building of the railway tunnel. Today, many climbers intending to climb the Eiger North Wall start their tour from this opening known as the Stollenloch (2840 m). Only a few metres away from the tunnel, climbers open a wooden door to suddenly find themselves in the middle of the wall, 600 metres above its foot.

This shortened version of the climb was first used in March 1961 by Toni Hiebeler, Toni Kinshofer, Anderl Mannhardt and Walter Almbergert during the first winter ascent. At the time, it created a huge scandal because the climbers had initially kept quiet about having climbed the easy but avalanche-exposed lower section of the wall several days earlier on their first attempt. Envious rivals and functionaries criticised the fact that the wall had not been climbed in one single ascent from the

Das Stollenloch: Nur wenige Meter trennen den engen Bahntunnel von der Ausstiegsmöglichkeit in die berühmteste Wand der Alpen (oben). Schritt nach draußen: 1961 nutzten die Wintererstbegeher der Nordwand den Ausschüttungsstollen zu ihrem entscheidenden Vorstoß. Viele weitere Alpinisten taten es ihnen seither – verbotenerweise – nach (unten).

The Stollenloch: just a few metres separate the narrow railway tunnel and the exit option on to the most famous wall in the Alps (above). A step outside: in 1961, the opening made to dump debris was used by the first winter climbers on the North Wall for their crucial advance. Many other alpinists have since done the same, although this is forbidden (bottom).

Was für ein Kontrast: Interessierte können sich heutzutage – gut gesichert von Bergführern – vor dem Stollenloch einen gefahrlosen Eindruck von der Wand verschaffen (links). In Sichtweite verlor der junge Deutsche Toni Kurz 1936 am Seil hängend den Kampf um sein Leben (rechts).

What a contrast! These days, anyone interested can get an impression of the North Wall from the Stollenloch, safely secured by a mountain guide (left). In 1936, the young German, Toni Kurz, lost his fight for life hanging on a rope within sight of his rescuers (right).

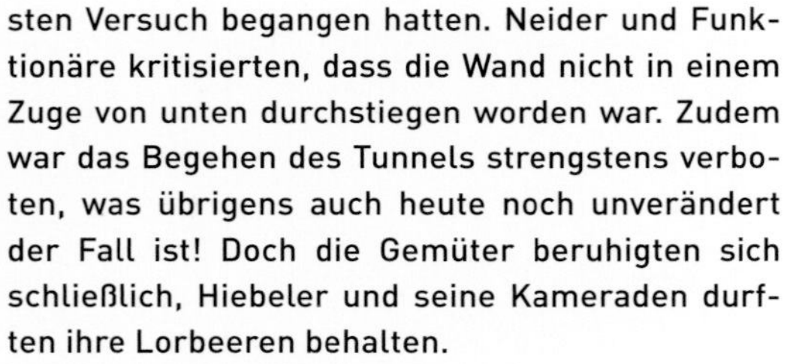

sten Versuch begangen hatten. Neider und Funktionäre kritisierten, dass die Wand nicht in einem Zuge von unten durchstiegen worden war. Zudem war das Begehen des Tunnels strengstens verboten, was übrigens auch heute noch unverändert der Fall ist! Doch die Gemüter beruhigten sich schließlich, Hiebeler und seine Kameraden durften ihre Lorbeeren behalten.

Berühmt geworden war das Stollenloch jedoch schon 25 Jahre vorher, als verbissen um die Erstdurchsteigung der Eigerwand gerungen wurde. In einer der größten Nordwandtragödien kamen im Juli 1936 alle vier Mitglieder einer deutsch-österreichischen Seilschaft ums Leben, darunter auch der Berchtesgadener Toni Kurz. Nachdem seine Gefährten tödlich abgestürzt waren, hatte er eine Nacht lang im Wettersturz verzweifelt um sein Leben gekämpft, starb jedoch schließlich durch eine Verkettung unglücklicher Umstände. Sein tragisches Schicksal wurde in mehreren Kino- und Dokumentarfilmen verewigt. Schweizer Bergführer kletterten damals aus dem Stollenloch zu seiner Rettung an die nicht weit entfernte Unglücksstelle, doch konnten sie den jungen Alpinisten trotz aller verzweifelten Anstrengungen nicht mehr lebend aus seiner Lage befreien.

Wer die traurige Episode genau nachempfinden möchte, kann heutzutage in Begleitung von Bergführern sogar Nordwandluft am Stollenloch schnuppern und sich den Ort des Geschehens von

bottom. In addition, walking through the tunnel was strictly forbidden, which incidentally is still true today! However, feelings eventually cooled down and Hiebeler and his comrades were allowed to hold on to their laurels.

The Stollenloch had already gained notoriety 25 years earlier during the grim struggle for the first ascent of the Eiger North Wall. In July 1936, in one of the worst tragedies to take place on the wall, all four members of a German-Austrian mountaineering team were killed, including Toni Kurz from Berchtesgaden. After his companions plunged to their deaths, he spent a night fighting desperately for his life in worsening weather conditions to eventually perish as a result of an unfortunate chain of circumstances. His tragic fate has been immortalized in several films and documentaries. Swiss mountain guides climbed out of the Stollenloch to try and rescue him from the nearby scene of the accident but despite their massive endeavours, they were unable to free the young mountaineer from his predicament.

Today, those who want to fully appreciate this tragic episode can breathe the air of the North Wall at the Stollenloch accompanied by a mountain guide and get a close-up look at the scene of the 1936 disaster. The Jungfrau Railway makes an unscheduled stop at the Stollenloch for these groups, otherwise passengers only catch a quick glimpse of it in passing. The first ascent of the Eiger North

1936 ganz aus der Nähe ansehen. Für solche Besuchergruppen macht die Jungfraubahn ausnahmsweise einen Halt am Stollenloch. Ansonsten kann man bei der Vorüberfahrt als Fahrgast nur einen kurzen Augenblick lang den Stollen erahnen.

1938 wurde die Nordwand – damals als «letztes Problem der Westalpen» bezeichnet – schließlich doch erstmals durchstiegen. Die Deutschen Anderl Heckmair und Ludwig Vörg waren gemeinsam mit den Österreichern Fritz Kasparek und Heinrich Harrer in den Tagen vom 21. bis 24. Juli erfolgreich. Die Erleichterung war groß, waren doch in den Vorjahren bei gescheiterten Wandversuchen insgesamt acht Alpinisten ums Leben gekommen. Verständlich, dass die Nordwandhelden hinterher gebührend gefeiert wurden. Zunächst noch im kleinen Kreis in der Nacht zum 25. Juli im Restaurant der Station Eigergletscher, hinterher dann mehrere Tage lang mit reichlich Propagandagetöse im Deutschen Reich. Selbst Hitler ließ sich mit den vier Bergsteigern ablichten. Trotz dieser Nebengeräusche bleibt die Leistung der Seilschaft um Heckmair völlig zu Recht eine der berühmtesten Touren der Alpinismusgeschichte.

Die dramatische Ersteigungsgeschichte der Vorkriegszeit und die vielen Unglücksfälle der 1950er- und 1960er-Jahre begründeten den Mythos Eiger-Nordwand. Unzählige Zeitungsberichte, Bücher und Radio- und Fernsehsendungen machten die Wand über Grindelwald in aller Welt berühmt. Bis heute ist sie eine der größten Attraktionen der Jungfrauregion geblieben. Auch wenn der berüchtigte Ruf der legendären Wand weitgehend erhalten geblieben ist – die Klettergewohnheiten der Nordwandaspiranten haben sich in den letzten Jahrzehnten doch geändert. Die meisten Durchstiege erfolgen nicht mehr wie früher in den Sommermonaten, die erträgliche Temperaturen und längere Klettertage gewährlesten, sondern im Winter: Verantwortlich dafür ist die globale Klimaerwärmung, welche die ohnehin große Steinschlaggefahr in der zu warmen Jahreszeit zur unkalkulierbaren Gefahr werden und die berühmten

24. Juli 1938: Die Erstdurchsteiger der Eiger-Nordwand lassen sich für ihre aufsehenerregende Leistung oberhalb der Station Eigergletscher feiern. Von links: Heinrich Harrer, Fritz Kasparek, Anderl Heckmair und Ludwig Vörg.

24th July 1938: above the Eigergletscher station, the first climbers to successfully climb the Eiger North Wall are celebrated for their sensational achievement. From left: Heinrich Harrer, Fritz Kasparek, Anderl Heckmair and Ludwig Vörg.

Wall – at that time described as «the last problem in the western Alps» – was finally made between 21st and 24th July, 1938 by Germans Anderl Heckmair and Ludwig Vörg together with two Austrians, Fritz Kasparek and Heinrich Harrer. There was a great feeling of relief as a total of eight climbers had
lost their lives in unsuccessful attempts in previous years. Understandably, the heroes of the Eiger North Wall were celebrated in fitting fashion, firstly in a small group in the restaurant at the Eigergletscher station on the night of 25th July, and then by several days filled with prolific propaganda in the German Reich. Even Hitler had himself photographed with the four mountaineers. But this aside, the feat of Heckmair and his party is quite justifiably one of the most famous climbs in mountaineering history.

The legend of the Eiger North Wall is based on the dramatic pre-war history of the first ascent and the many accidents in the 1950s and 60s. Numerous newspaper reports, books and radio and television programmes brought worldwide fame to the wall above Grindelwald. It remains one of the major attractions in the Jungfrau Region. Although the legendary wall has retained its notorious reputation, the climbing habits of North Wall hopefuls have

Fritz Steuri (vorne links), 1921 einer der Erstbegeher des Mittellegigrates am Eiger, rastet vor dem «Mönchstollen», einem weiteren Ausschüttungsloch der Jungfraubahn (s. auch S. 216). Unter den Begleitern Steuris befindet sich auch der Sohn Adolf Guyer-Zellers (mit Sonnenbrille).

Fritz Steuri (front left), 1921, one of the first to climb the Mittellegi Ridge on the Eiger, rests at the Mönchsstollen, another Jungfrau Railway opening for dumping debris (see also page 216). Steuri's companions include Adolf Guyer-Zeller's son (with sunglasses).

Eisfelder oft gänzlich verschwinden lässt. Im Winter dagegen bleibt der Berg weitgehend ruhig, stellt jedoch durch die Kälte höhere Anforderungen an die Kletterer.

Mittlerweile gibt es über dreißig Routen an der Eigerwand. Eine davon beginnt direkt bei der Station Eigerwand (2864 m), wo die Gäste den Zug zum Jungfraujoch verlassen und über die großen Panoramafenster den unteren Wandteil betrachten können. In der Sicherheit der Station lässt es sich wohlig gruseln! Kaum vorstellbar, dass sich Ueli Steck und Stephan Siegrist im Jahre 2001 über das weit überhängende Felsdach direkt über den Fenstern hochgearbeitet haben, als sie ihre Direttissima «Young Spider» eröffneten. Eine moderne, harte Route in einer Wand, die auch für erfahrene Alpinisten noch immer eine ernst zu nehmende und auch gefährliche Herausforderung darstellt. Seit 1935 kamen 68 Bergsteiger in der Nordwand oder nach geglücktem Durchstieg im Abstieg ums Leben – eine bedrückende Bilanz.

Auch am letzten Aufenthalt vor dem Jungfraujoch befinden sich die Fahrgäste noch im Eiger. Und auch von der Station Eismeer (3158 m) kann man das Terrain berühmter Pioniere hautnah beobachten. Schon 1921 waren hier auf der Südseite des Berges die Grindelwalder Fritz Steuri, Fritz Amatter, Samuel Brawand sowie der Japaner Yuko Maki zum Gletscher hinuntergestiegen, um von dort den viel umworbenen Mittellegigrat erstmals zu begehen. Yuko Maki war vom Erfolg so begeistert, dass er den Bau der Mittellegihütte (1924) auf dem Grat großzügig mitfinanzierte. Der Ostgrat des Eigers mit dem Zustieg von der Station Eismeer ist heute der beliebteste Weg zum Eigergipfel und eine der klassischen Führertouren Grindelwalds.

changed over recent decades. Most ascents are no longer made in the summer months, in tolerable temperatures and longer climbing days, but in winter. The responsibility for this lies with global warming, which in the too warm months of the year transforms the already great hazard of falling rocks into an incalculable risk and often causes the famous ice fields to disappear completely. In winter in contrast, the mountain remains mostly quiet but the bitter cold makes greater demands on climbers.

Meanwhile, over thirty routes have been opened on the Eiger North Wall. One starts at the Eigerwand station (2864 m), where guests step out of the train to the Jungfraujoch to look down the lower part of the wall from huge panorama windows. It can send shivers down your spine even in the safe surroundings of the station! It's hard to imagine that in 2001, local climbers Ueli Steck and Stephan Siegrist worked their way up over the wide overhanging rock directly above the windows as they opened a route called the Young Spider Direttissima. A modern, tough route on a wall that still poses serious and also dangerous challenges to even experienced mountaineers. Since 1935, a total of 68 mountaineers have lost their lives either on the North Wall or following a successful ascent – a sobering balance.

Guests are still in the Eiger at the Eismeer station (3158 m), the last stop before the Jungfraujoch. The terrain of the famous pioneers can also be seen here at close quarters. In 1921, on this south side of the mountain, Fritz Steuri, Fritz Amatter and Samuel Brawand from Grindelwald and Yuko Maki from Japan climbed down to the glacier, from where they were the first to negotiate the highly-prized Mittellegi Ridge. Yuko Maki was so thrilled by this success that he generously co-financed the Mittellegi Hut (1924) on the ridge. The east ridge of the Eiger with access from the Eismeer station is now the most popular route to the Eiger summit and one of Grindelwald's classic guided tours.

Zimmer mit Aussicht: Vom Panoramafenster der Station Eigerwand kann man den Blick über den unteren Wandteil und die Voralpen genießen – oder eine der schwersten Nordwand-Routen starten. Ueli Steck arbeitet sich in seiner Route «Young Spider» am Seil nach oben.

Room with a view: from the panorama window at the Eigerwand station you can enjoy the view down the lower section of the North Wall and of the pre-Alps – or start out on one of the toughest routes up the North Wall. Ueli Steck working his way up a rope on his Young Spider route.

Schnell erreichbar, aber nicht ohne Tücken – Der Mönch

Fast to reach but not without its hazards – the Mönch

Der Mittelpunkt des Dreigestirns: die klassische Ansicht des Mönchs, wie man sie von der Kleinen Scheidegg aus kennt.

Rechte Seite: Die Luftaufnahme aus östlicher Richtung bietet dagegen eine ungewohnte Perspektive: Der Mönch scheint sich hinter dem schattigen Eiger wegzuducken.

The central point of the mountain trio: the classic view of the Mönch as seen from Kleine Scheidegg.

Page right: In contrast, the aerial photo taken from the east gives an unusual perspective: the Mönch seems to crouch down behind the Eiger, which is in shadow.

Ein Jahr vor der Erstbesteigung des Eigers waren Bergsteiger bereits zum ersten Mal auf dem höchsten Punkt des Mönchs gestanden. Am 15. August 1857 war es wiederum Christian Almer, der, begleitet von seinen Grindelwalder Bergführerkollegen Ulrich Kaufmann und Christian Kaufmann sowie ihrem Wiener Kunden Sigismund Porges, den vierthöchsten Gipfel der Berner Alpen betrat. Durch die Klimaerwärmung ist der Mönch in den letzten Jahrzehnten übrigens sogar um neun Meter «gewachsen»: Da die Niederschläge selbst in dieser Höhenlage oft als Nassschnee fallen, der nicht wie lockerer Schnee vom Wind verblasen wird, wird die Höhe des Mönchs in den Karten nunmehr mit 4108 Metern angegeben.

Der Anstieg der Seilschaft Almers erfolgte von der Rückseite des Berges, vermutlich über den Nordostarm des Ostgrates, wogegen bald der Südarm des Ostgrates zur gebräuchlichsten Route avancierte. Damals war es noch sehr beschwerlich, überhaupt zum Sporn zu gelangen. Über 2500 Höhenmeter aus dem Tal, über stark vergletscher-

One year before the first ascent of the Eiger, the first climbers had already stood on the highest point of the Mönch. On 15th August 1857, it was again Christian Almer, who now, with his fellow Grindelwald mountain guides Ulrich Kaufmann and Christian Kaufmann and their Viennese client Sigismund Porges, stood on the fourth highest summit in the Bernese Alps. In recent decades, the Mönch has actually «grown» nine metres as a result of global warming. At these high altitudes, precipitation usually occurs as wet snow. This is not blown away by the wind as loose snow would be and so the height of the Mönch is now charted as 4108 metres.

The climb by Almer and his roped party was made from the back of the mountain, probably via the northeast arm of the east ridge, however, it was the south arm of the east ridge that soon became the most popular route. At that time, it was still very difficult to even reach the spur. Climbers had to tackle over 2500 height metres from the valley, over strongly glaciated terrain, before it was possible to start the actual climb to the summit. And today?

Auch am Mönch gibt es seit 1906 ein Loch im Berg: den Mönchsstollen, der allerdings touristisch oder alpinistisch nicht genutzt wird und deshalb weitgehend unbekannt geblieben ist.

There has also been a hole on the Mönch since 1906: the Mönchsstollen, which, however, is used neither for tourism nor alpinism and so remains widely unknown.

tes Gelände, waren bis dahin zurückzulegen, bevor der eigentliche Gipfelgang angetreten wurde. Und heute? In der Regel nimmt eine Besteigung des Mönchs über die Normalroute folgenden Verlauf: Anreise nachmittags bequem mit der Zahnradbahn zum Jungfraujoch. Durch den Sphinxstollen gelangt man von dort auf den Jungfraufirn und begibt sich auf eine leichte, etwa einstündige Wanderung zur Mönchsjochhütte auf 3657 Meter Höhe. Die hochalpine Unterkunft befindet sich unweit des Einstiegs, nicht einmal 500 Höhenmeter sind es am nächsten Morgen noch bis zum Gipfel.

Der Mönch ist somit neben dem Zermatter Breithorn einer der am schnellsten zu erreichenden Viertausender geworden. Dementsprechend oft wird er auch erstiegen, obwohl er mit dem ausgesetzten, oft stark verwechteten Gipfelgrat nicht als leicht einzustufen ist. Natürlich kann man den westlichen Nachbarn des Eigers auch von der Kleinen Scheidegg ohne weitere Bahnunterstützung erklimmen. Allein auf der beeindruckenden Nordseite des Mönchs existieren etwa zehn Routen, von denen zwei echte Klassiker geworden sind. Die Tour über den Eiswulst des sogenannten Nollen am Nordwestbollwerk ist einer kühnsten Eisanstiege aus dem beginnenden «silbernen Zeitalter des Alpinismus», als nicht mehr allein der jungfräuliche Gipfel das Ziel der Bergsteiger war, sondern auch neue und schwierigere Routen. Der Berner Edmund von Fellenberg, Gründungsmitglied des Schweizer Alpen-Clubs (1863), eröffnete diese wunderbare Linie im Jahre 1866 zusammen mit den Grindelwalder Führern Christian Michel und Peter Egger. Ähnlich beliebt ist die von Hans Lauper 1921 gemeinsam mit Max Liniger entdeckte Führe geblieben. Lauper-Routen gibt es übrigens auch in der Nordostwand des Eigers (1932) und in der Nordwand der Jungfrau (1926) – in der Zwischenkriegszeit war der Schweizer der bedeutendste Erschließer des Dreigestirns.

The ascent of the Mönch is usually made via the normal route as follows: afternoon arrival on the Jungfraujoch in comfort by cogwheel railway. From here through the Sphinx gallery to the Jungfraufirn and then an easy, around sixty-minute hike to the Mönchsjoch Hut at 3657 metres above sea level. The high-Alpine accommodation is close to the start of the ascent and next morning, mountaineers have a mere 500-metre climb to the summit.

In addition to the Zermatter Breithorn, the Mönch has become one of the fastest reached peaks over 4000 metres high. As a result, it is frequently climbed although it should not be rated as easy because of the exposed, often strongly corniced summit ridge. The western neighbour of the Eiger can of course be scaled from Kleine Scheidegg without any further assistance from the railway. There are some ten routes on the impressive north side of the Mönch alone, two of which have become true classics. The tour over the ice nose of the so-called Nollen on the northwest rampart is one of the most daring ice climbs from the beginning of the «Silver Age of Alpinism», when virgin summits were no longer the sole objective of mountaineers, who also sought new and more difficult routes. Bernese Edmund von Fellenberg, a founder member of the Swiss Alpine Club (1863), opened this wonderful route in 1866 together with Grindelwald guides Christian Michel and Peter Egger. Equally as popular is the route discovered by Hans Lauper and Max Liniger in 1921. Incidentally, there are also Lauper routes on the north-east wall of the Eiger (1932) and the north wall of the Jungfrau (1926). In the period between the two World Wars, the Swiss was responsible for opening the most routes on the trio of summits.

Von der Mönchsjochhütte starten die Alpinisten bei Sonnenaufgang ihre Touren, oft zum Gipfel des Mönchs (oben). Auch weniger ambitionierte Wanderer können auf dem Weg vom Jungfraujoch zur Hütte gefahrlos die umliegenden Gletscher und Viertausender bestaunen (unten).

Alpinists set off from the Mönchsjoch Hut at sunrise to start their tours, often to the summit of the Mönch (above). Less ambitious walkers can admire the surrounding glaciers and four-thousand metre peaks in safety on the way from the Jungfraujoch to the hut (bottom).

Erster Viertausender der Schweiz – Die Jungfrau
Switzerland's first four-thousand-meter peak – the Jungfrau

Was für ein Berg! Kein Wunder, dass die Jungfrau seit jeher gerne als Motiv für Plakate genutzt wurde: so von François Gos für die Jungfraubahnen (links, um 1925) oder von Anton Reckziegel (mit der Guggihütte, um 1900).

What a mountain! No wonder that the Jungfrau has long been used as a poster motif: such as by Francois Gos for Jungfrau Railways (left, around 1925) and Anton Reckziegel (with the Guggi Hut, around 1900).

Jungfraujoch – Endstation für die Fahrgäste! Heute ist das eine Selbstverständlichkeit, doch nach Adolf Guyer-Zellers ursprünglicher Planung sollte auch das Joch nur eine Durchgangsstation auf dem Weg zum Jungfraugipfel sein. Die technischen Möglichkeiten und die dadurch bedingte Aufbruchstimmung ließen damals reihenweise derartige Visionen reifen – auch für den Eiger und das Matterhorn waren bereits Konzessionen für Bergbahnen eingereicht worden, projektiert natürlich bis zum höchsten Punkt. Während die Jungfraubahn aber bis hinauf zum Jungfraujoch realisiert wurde, kamen die Vorhaben an den beiden anderen Paradebergen über die Planungsphase nie hinaus.

So muss auch heutzutage die Jungfrau bis ganz nach oben noch erstiegen werden, wenngleich der Anstiegsweg zur Freude vieler Hobbybergsteiger durch die Bahn erheblich verkürzt

Jungfraujoch – where passengers leave the train! Today a matter of course, but according to Adolf Guyer-Zeller's original plans, the Joch was only intended to be a transit station on the way to the Jungfrau summit. At that time, the technical possibilities and ensuing euphoria led to a whole row of similar visions being conceived – concessions had already been applied for to build mountain railways on the Eiger and Matterhorn, naturally projected to the very top. But while the Jungfrau Railway was completed as far as the Jungfraujoch, projects for the other two majestic mountains never progressed beyond the planning stage.

And so today, the very top of the Jungfrau must still be reached with a climb, even when the ascent route can be greatly shortened using the railway, to the delight of many hobby mountaineers. Yet the Jungfrau – and also the Mönch – remain high-Alpi-

Luftaufnahme der stark vergletscherten Nordseite der Jungfrau (oben). Eine Führerseilschaft im Normalanstieg zum Jungfraugipfel im Rottalsattel, 3884 m (unten).

Aerial view of the extremely glaciated Jungfrau north face (above). Rope team on a normal approach to the Jungfrau summit, on the Rottalsattel, 3884 metres (bottom).

Erhabene Aussicht: eine Männerseilschaft auf dem Jungfraugipfel (kolorierte Postkarte, um 1900).

Rechte Seite: Auf der Strecke zwischen der Kleinen Scheidegg und Eigergletscher hat man die Jungfrau ständig im Auge.

Folgende Doppelseite: Besonders intensiv kann man diesen spektakulären Anblick im frühen Morgenlicht genießen, Jungfrau mit Silberhorn.

An uplifting view: a men's roped team on the Jungfrau summit (coloured postcard, around 1900).

Page right: The Jungfrau is constantly in view on the section between Kleine Scheidegg and Eigergletscher.

Following double page: This spectacular view is particularly impressive in the early morning light; the Jungfrau and Silberhorn.

worden ist. Und doch bleibt die Jungfrau – wie auch der Mönch – noch immer eine ernstzunehmende Hochtour. Immer wieder machen Unglücksfälle Schlagzeilen – so beispielsweise im Juli 2007, als sechs Rekruten der Gebirgsspezialisten-Rekrutenschule Andermatt beim Aufstieg über den Rottalsattel in den Tod stürzten.

Die Gefahren des Hochgebirges dürften auch den Erstbesteigern der Jungfrau manch mulmiges Gefühl beschert haben. Im Jahre 1811(!) gab es noch kein zuverlässiges Kartenmaterial über das auf der Südseite quadratkilometerweit vergletscherte Jungfraugebiet. Zudem verfügten die wenigen Bergsteiger damals lediglich über eine nach heutigen Maßstäben bescheidene Ausrüstung: in diesem Fall weder Pickel noch Steigeisen, immerhin aber ein Seil und eine sieben Meter lange Leiter, um Gletscherspalten zu überwinden. Trotzdem machten sich Johann Rudolf Meyer jr. und Hieronymus Meyer, beide Mitglieder einer reichen Fabrikantenfamilie aus Aarau, Ende Juli vom Rhonetal aus auf den Weg, die Jungfrau von Süden her zu besteigen. Unterwegs engagierten sie im Lötschental noch die beiden Gämsjäger Alois Volker und Joseph Bortis als Führer. Nach beschwerlichem Anmarsch und einigen Erkundungstouren erklommen die vier am 3. August 1811 ungefähr auf der heutigen Normalroute den Gipfel der Jungfrau (4158 m) – eine epochale Leistung, war es doch der erste Viertausender der Schweiz, der somit bestiegen worden war, und erst der vierte so hohe Gipfel der Alpen überhaupt. Prompt kamen Zweifel am Gipfelerfolg auf, weil die am höchsten Punkt befestigte Fahne vom Tal aus nicht sichtbar war. Gottlieb Meyer, der Sohn von Johann Rudolf jr., wiederholte deshalb mit Volker und Bortis am 3. September 1812 die Tour – diesmal konnte man die Fahne auch von unten bestens erkennen.

Vom Jungfraujoch aus kann man einen Teil der Originalroute einsehen. Die Fahrt mit der Jungfraubahn bedeutet somit nicht nur eine unmittelbare Begegnung mit der Hochgebirgswelt, sondern immer auch das hautnahe Erleben alpiner Geschichte.

ne tours which need to be taken seriously. Accidents repeatedly hit the headlines – as for example in July 2007, when six recruits from the Mountain Specialists Recruit School Andermatt fell to their deaths on the ascent via the Rottalsattel.

The dangers of the high mountains may also have given the first people to climb the Jungfrau some queasy moments. In 1811(!), there were no reliable maps covering the square-kilometre south side of the glaciated Jungfrau area. Added to this, by today's standards, the few mountain guides of that time had only very simple equipment; in this case, neither ice axes nor crampons but merely a rope and a seven-metre ladder to cross glacier crevasses. Nevertheless, at the end of July, Johann Rudolf Meyer jr. and Hieronymus Meyer, both from a wealthy industrialist family in Aarau, made their way from the Rhone Valley to climb the Jungfrau from the south. On their way, in Lötschental they engaged the services of two chamois hunters, Alois Volker and Joseph Bortis, as guides. On 3rd August 1811, after a difficult approach and several scouting expeditions, the four reached the summit of the Jungfrau (4158 m) by today's normal route – an epochal achievement. It was the first four-thousand metre peak in Switzerland to be climbed and also the first ascent of the fourth highest peak in the entire Alps. Doubts on the successful ascent were promptly voiced because the flag hoisted on the summit could not be seen from the valley. And so Gottlieb Meyer, son of Johann Rudolf jr., repeated the tour on 3rd September 1812 – and this time, the flag was clearly visible from below.

Part of the original route can be seen from the Jungfraujoch. A journey with the Jungfrau Railway is thus not only a close encounter with the high-Alpine world but also provides first-hand experience of Alpine history.